ひとり親家庭サポートBOOK

シングルマザー生活便利帳

2018
▼
2019

六訂版

新川てるえ　田中涼子

太郎次郎社エディタス

この本を手にとったあなたへ

こんにちは、新川てるえです。１９９７年12月、私自身が2度目の離婚をし、離婚ブルーに落ち込む時期でした。当時、「母子家庭」で検索してヒットするインターネットサイトはゼロ。私は同じ経験をしている仲間の声が聞きたくて、「母子家庭共和国」というシングルマザーのためのコミュニティサイトを立ち上げました。そこに集まる声に救われて自分が元気になったあとで、今度は自分の経験を生かして人を元気にしたいと、ひとり親家庭を支援する活動をはじめ、現在に至っています。

これからひとり親になろうと思ったときに頼りになったのは、経験者の声と福祉窓口で配布された「ひとり親家庭のしおり」でした。本書の企画にあたり、全国から取り寄せたところ、地域格差がかなりあり、情報がわかりやすく十分にまとめられたものは少ないことに不満を感じました。そしてつくった本書は、２００６年の発売より改訂を重ね、多くの方々にお役立ていただいています。

六訂版では、2章を全面改訂し、家計のやりくりアドバイスを充実、教育費や修学支援の情報も盛り込みました。1章についても仕事内容を見直しました。また、アンケートに寄せられた先輩シングルマザーのリアルな声も紹介しています。どうか本書を参考に、明るく楽しいシングルマザー生活をめざしていただければ幸いです。

２０１７年10月　新川てるえ

シングルマザー生活便利帳 六訂版

contents

第1章　シングルマザーの仕事

第2章　シングルマザーの家計簿

第3章　シングルマザーの住まい

第4章 仕事と育児、両立のツボ

第5章 利用できる福祉制度

第6章 シングルマザーのお悩み解決

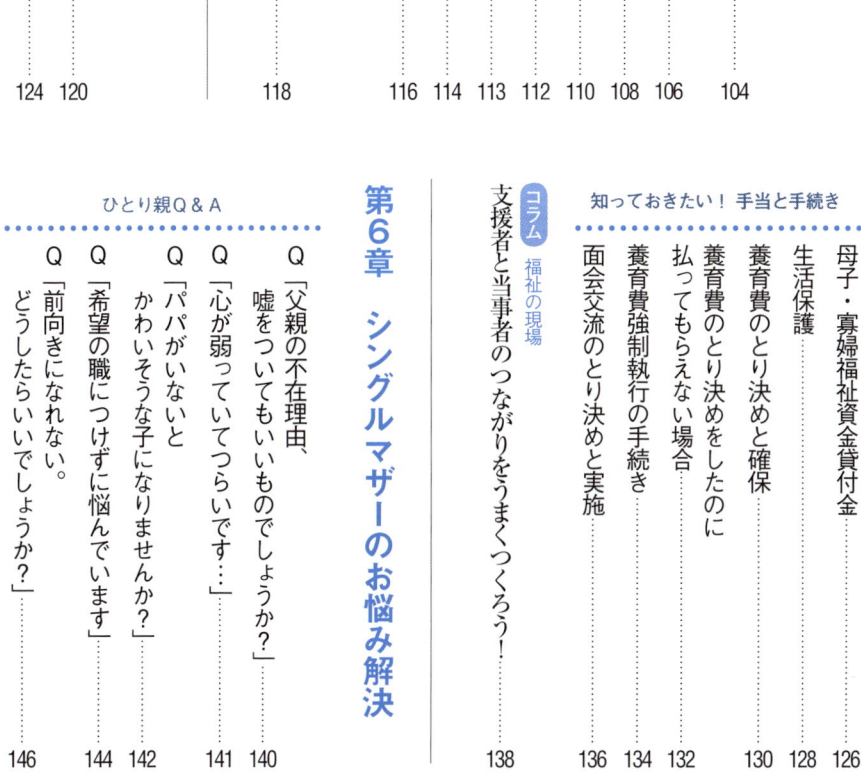

＊――取材に応じてくださった方がたのデーターは、インタビュー当時のものです。

1
章

シングルマザーの仕事

経済的に自立するために就職活動！
子どもと暮らすために踏みだす、はじめの1歩

求職の方法から、応募書類の記入方法、面接の心構えをキャリアカウンセラーの監修で、トータルサポート。また、シングルマザーのための12職種をピックアップ。実在のシングルマザーに取材、身近な声を集めました。さあ、動きだしましょう。

キャリアカウンセラーが教えます

再就職の現状とポイント

キャリアカウンセラー諸星裕美さんが、就労支援の現場で感じること

シングルマザー採用について、人事担当者に聞くと、その感想は二局化しています。

目標をもって働ける人に出会えた企業は、世間知らずの若い人より経験豊富でがんばりがきくと感じていますが、前向きに努力しない人、シングルマザーであることを理由に自分に甘い人を採用した企業は「選択ミス」と感じているようです。「とにかく働かなくては！」と目先のことだけを考えて職探しをするのではなく、再就職支援セミナーなどを通して将来のビジョンを見据えた求職活動をしましょう。

つまずかないために必要なこと

就労支援セミナーなどに積極的に参加して、自分は企業で何ができるのか再確認しましょう。

また、ワード、エクセルなどを完璧に使いこなせなくても、メールは書けるように努力しましょう。自治体で開催している無料講習会などを利用してパソコンに慣れるのもいいでしょう。

さらに、もっている資格については、つねに情報の更新を心がけ、賞味期限を切らさないことが重要です。

成功するために必要なのは、プラス思考と強い精神力、そして先を見通した行動力です。

就労支援セミナー情報

●21世紀職業財団
http://www.jiwe.or.jp/
各地方に事務所があるので、再就職に役立つセミナーの開催予定などをお問い合わせください。

●各自治体のひとり親家庭支援窓口
自治体ではひとり親家庭のための就労支援のセミナー、パソコン講習会などを無料で開催していますので窓口にお問い合わせください。

諸星裕美プロフィール(監修者)
社会保険労務士。リストラや個別労働紛争、就業規則関係に強い。キャリアカウンセラー資格を生かし多方面で活躍中。長年の経験から、企業が求めているニーズを把握。主婦から転向した自身の経験をもとに再就職相談も幅広く展開中。NPO法人M-STEP企業会員。

会社を探すまえにやっておくこと

1. 何ができるか自分を見つめなおす
経験や資格がなくても「人づきあいが上手」など自分ができることや得意なことを明確にしておきましょう。

2. どれくらい働けるかを明確にする
子育てと周囲の理解を中心に考えながら、自分がいつから何時間くらい働けるか、体力と合わせて考えましょう。

3. なぜ働きたいのかを考える
「生活のため」は大事ですが、何のために働くのか、したい仕事の確認ができている人とできていない人とでは説得力が違います。

いま！自分は何が得意なのかを考える

たとえば10年間専業主婦だった人が、結婚前はパソコンが得意だったからといってPC系の仕事を望んでも、非現実的かもしれません。そんなときは、いま、自分は何が得意なのかを考えることが必要です。「毎日買い物をしているので主婦感覚が生かせます」というほうが具体的な強みになります。

企業の求める人材

求人情報に書いてあることだけではわからない企業の本音を理解して、適職を探しにいこう

「仕事ができるよい人材を！」とどの企業も考えますが、優秀さよりも、ヤル気があり、明るく正直で職場のムードメーカーになれる人がほしいと考えている企業もあります。

企業の求める人材とは？

建前

- よりよい人材を採用
- 仕事ができる人
- ヤル気さえあれば
- 法律を守る雇用
- 長期雇用をしたい
- 年齢・性別・子どもの有無は関係なし
- 社会常識のある人

本音

- 積極性のある人
- 入社後でも能力向上させられる人
- 本気でヤル気のある人、努力できる人
- できれば社会保険などを負担したくない
- 長期雇用もよいが、人材の活性化のため期限つき雇用をしたい
- 子どもがいる人といない人では、いないほうがよい
- 明るく素直な人
- できれば若い人がよい

★もちろん、本音と建前を合致させている企業もありますが、結局は、働き手の仕事のクオリティ次第で企業の考え方も変わります。

しっかり自己PR！就職3点セット

①カバーレター

②職務経歴書

③履歴書

正しい履歴書で就職率UP！

履歴書は、見ず知らずの相手に、自分という人間をより具体的に想像してもらうためのツールです。

志望動機、趣味、特技などは、読み手が自分という人間を想像しやすいような情報を入れると第一印象が強まります。また、読む人のことを考えて、一文は短く、簡潔な文章にまとめましょう。

書類審査を通らずして採用はありえない

「カバーレター」「職務経歴書」「履歴書」の3点セットは、見ず知らずの採用担当者にあなたがどんな人なのかを伝える大切な書類です。

「カバーレター」は、必須ではありません。しかし、丁寧な印象を与えます。基本的にはビジネス文書の様式で作成しますが、書類添付という要件だけではなく、自己PRも書き加えましょう。

地域活動やPTA活動のなかでのスキルや得意なこともPR！

「職務経歴書」は、いままでどんな仕事をしてスキルを身につけたか、まとめたものです。

これまでのキャリアがほとんどなく「結婚して書くことがない」という人でも、地域活動やPTA活動を通してパソコンスキルを学んだことや、グループのとりまとめ役をやったことなどを自己PRとして書いてみましょう。

①カバーレターのおてほん

平成１８年　２月　３日

株式会社エムシー・コーポレーション
人事部　採用ご担当者様

〒２７７－０００５
千葉県柏市柏２４－７－２０１
佐藤　華子
電話　０４－７１××－１２３０

履歴書・職務経歴書ご送付と面接のお願い

拝啓　厳寒の候、貴社ますますご清栄のこととお慶び申し上げます。
さて、このたびは、御社の社員募集につきまして応募の機会を頂きまして、誠にありがとうございます。

私は、結婚、子育てのため家庭に入りましたが、夫と協議離婚後、現在２人の子どもを育てているシングルマザーです。家族のためだけではなく、自分の能力を活かしながら、一生の仕事として続けられることをしたいと会社の理念にこだわった就職活動をしてまいりました。まさしく御社が自分の持てる能力を発揮できるところであると思い、今回の募集に応募させていただきました。すぐにでも業務を実践できるよう、常に前向きに、常に前向きに考えており、御社にて採用をして頂けることになれば、自分の持てる力を十分発揮できるよう、一生懸命がんばる所存であります。

何卒ご検討の上、面接の機会を頂きたく宜しくお願い申し上げます。

敬　具

同封：履歴書・職務経歴書

②職務経歴書のおてほん

職　務　経　歴　書

佐藤《さとう》　華子《はなこ》
〒２７７－０００５
千葉県柏市柏２４－７－２０１
ＴＥＬ　０４－７１－××１２３０

《略　　歴》
昭和62年、千葉女子短期大学卒業後、株式会社ケイエム商事（雑貨文具用品企画販売業）に入社、仕入れ業務並びに在庫管理・売上管理業務を担当。在庫、売上状況を把握し、販売店のニーズに応えた仕入れを心がけることで情報の管理能力・状況判断能力を学びました。平成５年８月、株式会社ケイエム商事を一身上の都合（結婚のため）退職。同年９月家事専念。平成５年１１月株式会社アールソフトに入社、入退社管理、各種保険手続き、新人教育他、総務業務担当。平成７年１２月、株式会社アールソフトを出産のため退社。子育てに専念しましたが、再就職に備え、最新のパソコンスキルを通学講座により、ワード・エクセル・メール・インターネットの他、ホームページ制作などを習得しました。子育ての間も、ＰＴＡの広報部でそのスキルを生かしたＰＴＡ通信の発行に携わり、経験を積み、常に自分のできることに対して努力してきました。

《職務経歴》
株式会社ケイエム商事　　昭和62年4月－平成5年8月
雑貨用品企画販売業（社員数　50名）
①商品情報の管理
・仕　入　れ　業　務
・在　庫　管　理
・売　上　管　理

株式会社アールソフト　　平成5年11月－平成7年12月
アプリケーションソフト開発（社員数　15名）
総務業務担当
①入退社管理
・社　員　情　報　管　理
②各種保険手続き
③新　人　教　育
・新　人　研　修、及　び　指　導

ＰＴＡ活動　　平成14年4月～平成16年3月
①広報部　副部長　　学校行事の取材（写真）・原稿作り・ＰＴＡ通信編集発行（ワード）
②本　部　書　記　　本部の会議進行、行事予定立案、対外折衝補助

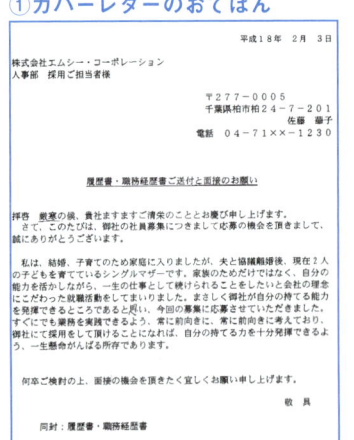

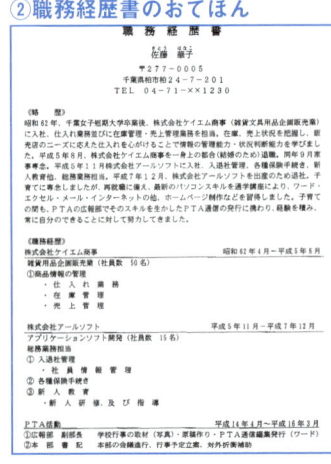

③履歴書のおてほん

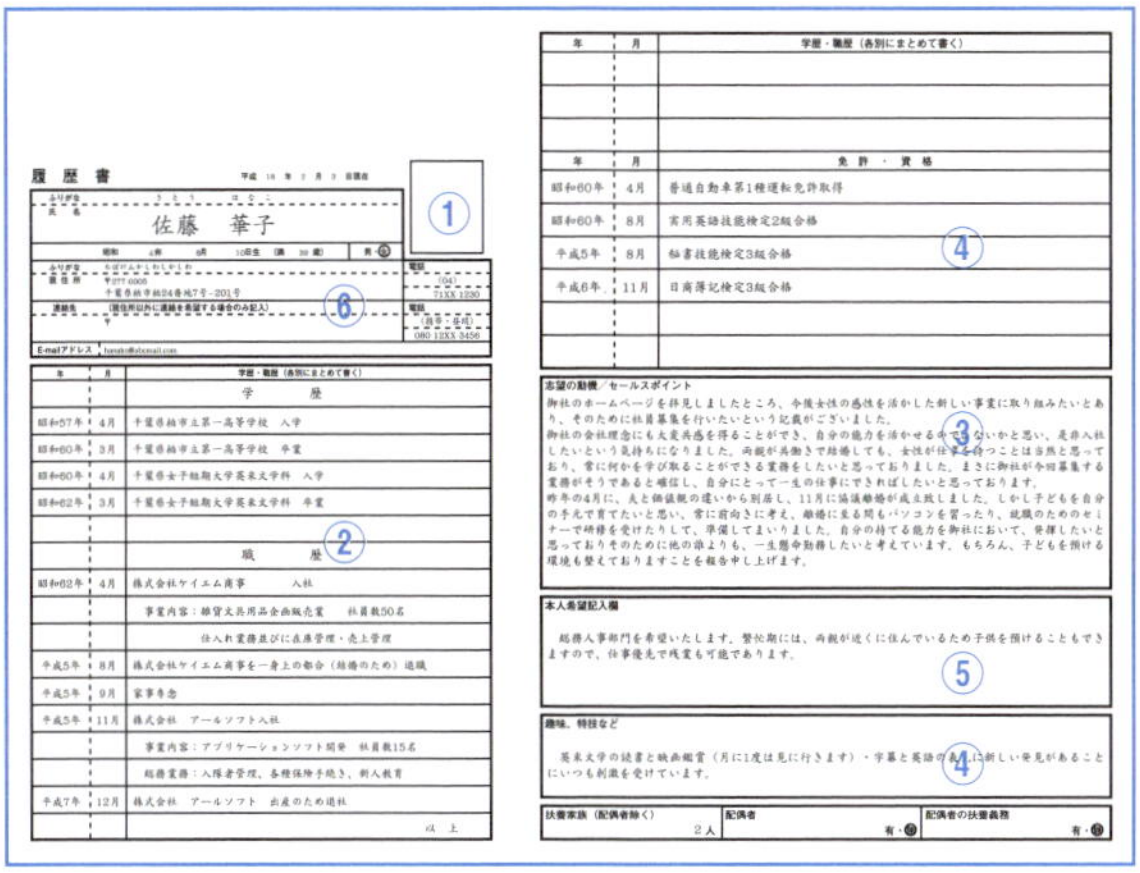

履 歴 書

ふりがな	さとう　はなこ
氏名	佐藤　華子

電話	(04) 71XX 1230
電話	(携帯・自宅) 080 12XX 3456

年	月	学歴・職歴（各別にまとめて書く）
		学　　歴
昭和57年	4月	千葉県柏市立第一高等学校　入学
昭和60年	3月	千葉県柏市立第一高等学校　卒業
昭和60年	4月	千葉県女子短期大学英米文学科　入学
昭和62年	3月	千葉県女子短期大学英米文学科　卒業
		職　　歴
昭和62年	4月	株式会社ケイエム商事　　入社
		事業内容：雑貨文具用品企画販売業　　社員数50名
		仕入れ業務並びに在庫管理・売上管理
平成5年	8月	株式会社ケイエム商事を一身上の都合（結婚のため）退職
平成5年	9月	家事専念
平成5年	11月	株式会社　アールソフト入社
		事業内容：アプリケーションソフト開発　社員数15名
		総務業務：入陣者管理、各種保険手続き、新人教育
平成7年	12月	株式会社　アールソフト　出産のため退社
		以　上

年	月	免許・資格
昭和60年	4月	普通自動車第1種運転免許取得
昭和60年	8月	実用英語技能検定2級合格
平成5年	8月	秘書技能検定3級合格
平成6年	11月	日商簿記検定3級合格

志望の動機／セールスポイント

御社のホームページを拝見しましたところ、今後女性の感性を活かした新しい事業に取り組みたいとあり、そのために社員募集を行いたいという記載がございました。

御社の会社理念にも大変共感を得ることができ、自分の能力を活かせるのではないかと思い、是非入社したいという気持ちになりました。両親が共働きで結婚しても、女性が仕事を持つことは当然と思っており、常に何かを学び取ることができる業務をしたいと思っておりました。まさに御社が今回募集する業務がそうであると確信し、自分にとって一生の仕事にできればしたいと思っております。

昨年の4月に、夫と価値観の違いから別居し、11月に協議離婚が成立致しました。しかし子どもを自分の手元で育てたいと思い、常に前向きに考え、離婚に至る間もパソコンを習ったり、就職のためのセミナーで研修を受けたりして、準備してまいりました。自分の持てる能力を御社において、発揮したいと思っておりそのために他の誰よりも、一生懸命勤務したいと考えています。もちろん、子どもを預ける環境も整えておりますことを報告申し上げます。

本人希望記入欄

総務人事部門を希望いたします。繁忙期には、両親が近くに住んでいるため子供を預けることもできますので、仕事優先で残業も可能であります。

趣味、特技など

英米文学の読書と映画鑑賞（月に1度は見に行きます）・字幕と英語の[illegible]に新しい発見があることにいつも刺激を受けています。

扶養家族（配偶者除く）	配偶者	配偶者の扶養義務
2人	有・無	有・無

履歴書記入時の心構え
好感を与える！　熱意を伝える！

人事担当者がみなさんとまず最初に接触するのが履歴書です。この履歴書の第一印象によって、あなたの評価がくだされるといっても過言ではありません。熱意のこもった内容の濃い履歴書を書くために、まず下の１～６のポイントを確認しましょう。

1.　写真

スナップ写真を切り取って貼りつけるのは論外です。正式にはカラー証明写真が基本ですが、髪を染めている人は、髪が実物より明るく写ってしまい、派手すぎる印象を与えることもあるので、白黒の証明写真にしたほうが無難な場合もあります。撮影時には、歯が見えない程度に口角を上げ、微笑みます。また、襟のある装いで身だしなみに気をつけましょう。

2.　学歴・職歴

基本的に学歴は、中学校卒業から記載します。しかし、地元企業での就職では、面接担当者が同じ小学校出身ということで、話が弾むことなどもあります。そんな場合は小学校卒業から記載しましょう。

大学、短大、専門学校は、学部、学科、コースなども具体的に記入。職歴は勤めた会社の名前だけではなく、事業内容や自分が従事した仕事を具体的に書き入れましょう。

3.　志望動機

履歴書見本の丸写しは厳禁です。「貴社の事業内容に魅力を感じ」などの抽象的な言い方ではなく「貴社の商品をいつも使用していて魅力を感じ、今度はそれを消費者に伝える側になりたいと思いました」など、具体的に自分の体験と熱意をこめて自分の言葉で書きましょう。「お金がほしいから」や「母子家庭でとにかく働かなくてはならないから」などはＮＧです。

4.　趣味・資格

趣味は、空欄が多いとヤル気のない印象を与えるので多く書くこと。ただ「読書」と書かず、「最近は○○という作家の『△△』を読んで感銘を受けました」と具体的に記載するとベスト。趣味が多いほど好印象を与え、アクティブに見えます。

資格は、年度順に正確に書くこと。英検は３級以上を記入。パソコン教室や就労に関するセミナーなどの受講履歴を書いてもＯＫです。

5.　本人希望欄

子育てしながら働く場合には、さまざまな制限があると思うので、家庭の状況をある程度伝えておいたほうが無難です。ただし、希望ばかりを主張するのではなく、残業や休日出勤などには可能な限り柔軟に対応する姿勢をみせましょう。

6.　その他

投函日は、記入日の日付でかならず書きます。書き忘れると、使いまわしている印象を与えてしまうこともあるので要注意。

いつでも連絡がとれるところを連絡先として記入。家の電話番号は必須ですが、ファックスの有無や携帯電話の番号も記入しましょう。Ｅメールアドレスは、毎日チェックしていない場合は記入しないほうがよいでしょう。

情報は自分の目で確認

就職先の探し方、選び方

就職情報のメリットとデメリットを理解して、自分の目で情報を選ぶ

さまざまな職探しの手段がありますが、そのメリットとデメリット（次ページ参照）を理解したうえで、自分の求めている企業に出会えるような手段を選びます。

企業情報は、会社のホームページでも確認しましょう。そのためにも、パソコンが使える必要があります。

疑問に思うことなどがある場合には、その会社に行く、店なら利用する

左上のチェック項目は、さまざまな情報から職探しをする際に確認してほしいことをまとめたものです。各項目を確認してみてどうしてもわからない点や疑問に思うことなどがある場合には、「その会社に行く」「店なら利用する」など現場の雰囲気を体感を。どんな人が働いているかつかめます。

チェックポイント

□1．会社の業務内容はわかりますか？

□2．自分が担当する仕事内容はわかりますか？

□3．休日や時間外についての記載はありますか？

□4．通勤手当の有無は書かれていますか？

□5．社員を募集する理由について書かれていますか？

□6．給料の内容について書かれていますか？

□7．給料や時給が同業種で比較して、高すぎたり低すぎたりしませんか？

□8．パートの場合には正社員への昇格の可能性はありそうですか？

□9．正社員雇用までの見習い期間について具体的に書かれていますか？

□10．転勤などがないですか？

●アドバイス

応募前に電話確認する場合は、一般常識のある対応を心がけます。事前に聞くことをメモして、落ちついて話せば失敗しません。

方法	メリット	デメリット
ハロー ワーク	●地元の求人情報が多い。 ●転職の場合はハローワークを通すと、手当て金などが出る場合がある。 ●新しい求人情報が毎日入ってくる。 ●就職相談ができる。 ●企業に対して助成制度があり、母子家庭の就労を支援している。	●さまざまな年齢層の人が来所していて、失業保険の手続きなどもあるので混雑している。 ●公共機関対応での制限もあり、求人情報の内容をそのまま鵜呑みにできない。 ●ハローワークまで足を運ばなくてはならないため、地域によっては時間がかかり不便。
求人 情報誌 (有料)	●大都市圏の求人情報が多いので、情報内容が豊富。 ●あらゆる採用形態が載っているので仕事を探しやすい。 ●無料とは違った装飾デザインがあり見やすい。	●中小企業の求人情報が少ない。 ●求人の内容についてある程度の確認が必要。
フリー ペーパー	●地元に密着した求人が掲載されていて気軽に内容確認ができる。 ●手間やお金をかけずに情報を手に入れることができる。	●有料情報誌に比べると、企業情報などが詳しくないのでわかりづらい。 ●パート・アルバイトの募集情報が中心のものが多い。
新聞・ 雑誌	●大手企業の掲載が多いので、内容的にしっかりしていて信頼できる。	●紙面が限られているため、最低限の情報しか得られない場合がある。 ●広域型で地域密着型ではない。 ●幅広く情報が行き渡るので、求人が殺到しやすくなるため、よほどのスキルがないと採用は難しい。

適度な緊張感で臨む

好印象を与える面接の心構えとマナー

STEP1 面接前のチェック3

面接はあなたが企業を判断する場でもあります。まずは基本の3つについてチェックしましょう。

1. 自分に適していますか？
2. 自分の能力を生かせそうな職場ですか？
3. 自分に合っている環境ですか？

STEP2 面接時のチェック3

1. 遅刻は厳禁

やむをえない場合でも、遅れることは基本的に許されません。万が一遅れる場合には、絶対に電話連絡をしましょう。

2. 出かける道程から緊張感をキープ

あなたを見ているのは面接官だけではありません。会社付近に着いたら、関係者が見ていると思って行動に気をつけましょう。

3. 会話で面接官を安心させる

緊張しすぎていると「大丈夫？」と不安感を与えますが、自然体すぎると逆に「えらそうな印象」を与えます。場の空気が和むよう適度に調整しましょう。

STEP3 シングルマザーとして働くためのチェック3

1．社内の女性を観察

社内の女性の雰囲気が明るいかをチェックしましょう。

2．同じ職種の人の定着度をみる

同じ職種で何度も間をおかずにくり返し求人広告が出ている会社は要注意。人が継続しない理由があるはずです。

3．シングルマザーであることをしつこく追及される

面接時に、シングルマザーであることに関してしつこく聞いてくるような企業は要注意。後日、いじめやセクハラにあう心配があります。

想定質問集（中小企業編）

Q お子さん小さいのに働きに出て大丈夫？

企業が気にするのは「子どもの世話で休みがちな人」。その対策がきちんとあることや家族や周りの人から協力が得られることを具体的に説明することが大切です。

Q うちは月末は忙しいんだけど残業はできるかな？

「残業できます」が理想ですが、現実的には無理な場合が多いでしょう。代替案として「朝は早めに出社できます」「仕事を持ち帰ることができます」など、できる範囲の提案をしましょう。できないことは言わないようにすることが重要です。

Q お子さんが熱を出したときにはどうしますか？

子どもを育てながら働くシングルマザーにとって、病児保育は頭の痛い問題です。就職活動に臨むまえに、病気時の対応をかならずクリアにしておきましょう。「何も考えていません」では、企業も困ります。「ベビーシッターを利用する」や「親に看てもらえる」「助けあえる友人がいる」などが回答例。

Q なぜ離婚したんですか？再婚の予定は？

「世間の一般的な理由の範囲だと思います。再婚については、現在は考えておりません。ご縁があればと思いますが。いまは子どもの気持ちを大切にしています」と、やんわりとかわしてください。これを「プライバシー侵害」とか、「面接に関係ない質問では？」と思っても、口に出したら生意気な人間だと思われるだけです。

Q あなたはどんな人ですか？説明してみてください。

中小企業はとくに人柄を重視します。「誰とでも仲よくなれる協調性があります」「まえの職場の人とはいまでも仲よしです」など具体的に自己PRしましょう。逆に、どんなに優秀でも「やる気で若い人には絶対に負けません」と張りあう勝気な受け答えは悪い印象を与えがちです。

シングルマザーに向いている

仕事と選び方

まず、自分の適職を考えましょう！自分の求めている仕事がどんなものなのかしっかりと意識したうえで、職探しすることが大切です。

まず自分に何が向いているのかを知ろう！

「シングルマザーに向いている職種」について、さまざまな仕事の取材をしました。同じ職種でも人によって、向き不向きの感じ方が違いました。職探しや資格取得をするまえに、自分の適職をまず知る必要がありそうです。

再就職セミナーのなかには、エニアグラムなどの性格分析によってその人の適職を掘りおこしてくれる講座などもあります。キャリアカウンセリングなどを利用して、自分の求めている仕事がどんなものなのかしっかりと意識したうえで、職探しすることも大切です。

また、国が推奨している介護福祉士や看護師、保育士などは重労働ではありますが、資格取得のための支援もあり、やりがいをもって取り組めれば安定した職業だと思います。

希望条件が多く、仕事を選びすぎていませんか？

シングルマザーからの就労相談には、「希望の職種につけません」「思っている条件の仕事が見つかりません」というような相談が多く寄せられます。

そこで、「あなたの希望は何ですか？」とお聞きすると「正社員で職場と自宅が近くて、給料がそれなりによく、土日が休めて、子どもの行事が優先できる働き先です」とたくさんの条件を挙げられる方がいます。しかし、現在は4年制大学の新卒でも就職難な時代です。すべての条件のそろう働き先はなかなかありません。選んではいけないとはいいませんが、選びすぎていませんか？

希望条件をひとつに絞って、達成したら次に進む

離婚をしたばかりのときに、1歳に満たない長女を抱えてとにかく働かなくてはならないと思いました。私の選んだ職場はゴルフ場のキャディでした。ゴルフをする

方ならわかると思いますが、肉体労働で重労働な仕事です。なぜキャディを選んだのかというと、子どもを預けて働ける職場だったからです。

キャディを2年経験したのちに私は、都内で働きたいという願望を達成するために転職しました。そして次にはやりがいのある仕事につきたいという目標を決めて、転職した職場でやりがいを思う存分感じたあとに、独立したいという目的を果たしました。

いまいちばん叶えたい条件が何なのかは、ライフスタイルやお子さんの年齢によっても違うと思います。子どもとの時間を大切にするのであれば、最初は正社員にこだわる必要もないと思います。希望条件をひとつに絞って、まずは、何から叶えたいのかを考えてみましょう。

目標と目的の違いを理解してスキルアップしよう

優先順位が決まったら、その次には、最終的にたどりつきたい理想とする姿を「目的」とし、それに近づくための手段を「目標」として、整理してみます。将来の目的が見えていれば遠回りすることもなく、ひとつひとつの目標をクリアーしながら確実にスキルアップしていくことができます。

ただ漠然と働かなくてはいけないからと職探しをするのではなく、夢や願望をしっかりと思い描くことが大切です。

職場の理解は自分の努力でつくるもの

理解のある職場で働きたいという声をよく聞きますが、職場の理解は本人がつくるものです。自分から必要とされる人物になれるように努力することで会社の理解は得られます。チャンスはいろいろなところにあります。

私が以前いた会社でパソコンを導入することになりました。当時、社内にはパソコンが得意な人はいませんでした。小さな子どもがいてフレックスで働かせてもらっていた私は、これはチャンスだと思い、早速同じパソコンを自宅に購入。そして誰よりも先に得意になりました。おかげで社内ではトラブルがあると「新川さんに」と頼られるようになり、会社と自宅のパソコンをリモートアクセスでつないで仕事を持ち帰り、子どもが熱を出しても在宅で仕事に対応できる環境も手に入れました。（新川）

働くシングルマザーに聞きました

看護師

ケガや病気で治療を受ける患者の世話や医師の指示で診療の補助をおこなう、人の命を預かるエキスパート。

職種データー

必要な資格／
看護師（国家資格）
勉強にかかる期間／３～４年
資格取得費用／受験料5,400円
講座料金その他／専門学校に通学して学ぶ人がほとんど。目安として70万～100万円程度

資格取得の道のりは遠いけれど、取ってしまえば就職率１００％

看護師になるには、高等学校卒業またはこれと同等以上の学力があると認められた人が、看護師学校（3年）・看護短期大学（3年）・看護系大学（4年）で修学して看護師国家試験に合格することが必要です。資格取得までの努力は並大抵ではありませんが、取ってしまえば看護師の絶対数は不足しているので就職率はほぼ１００％。社会的な必要性は下がることはないでしょう。そのうえ年齢に関係なく働ける職種なので、シングルマザーにとっては安心な安定した職業といえるでしょう。

苦労を乗りこえて人の痛みがわかるシングルマザーならではの職業

ただし、仕事はハードです。就労先によっては夜勤もあり、体力や精神力が必要とされます。医学に関する専門知識も重要ですが、それ以上に患者との人間関係を築く能力が求められるのが看護師の仕事です。

いわゆる「白衣の天使」とよばれる職業で、心や体が弱っている人の力になるための仕事なので、人の心の痛みがわかるシングルマザーには向いている方が多いかもしれません。患者さんとのふれあいからやりがいを感じられることがなによりの醍醐味です。

メリット

年齢に関係なく続けられる。就職率が高い。給料が安定している。結婚、出産、育児、離婚の経験が大いに仕事に役立つ。
長く続けることができる。

デメリット

病院によっては夜勤がある。子どもの保育所や学校の行事の際の休みの取得が難しい。子どもの病気のときに休みがとりづらい。
医師との相性が合わないときに、仕事がしづらい。

就職率は100%だから自分の希望条件を優先して職場探しができる

収入を優先するなら、大病院で夜勤もこなしてバリバリ働こう！　子どもとの時間を優先したいなら、開業医院で働くことをおすすめします。

昔からの憧れの職業だけれど、生半可な気持ちでは取得できない

山本かおりさんは現在、6歳のお子さんを育てながら開業医に勤務するシングルマザーです。「元夫の浮気発覚からいっきに家庭崩壊になりました。婚姻中から看護師の仕事をしていたので、離婚後の金銭的な不安はありませんでした」。

山本さんのお母さんも看護師だったため、小さい頃から「資格があれば困ることがない」と聞かされて育ったせいか、いつの間にか自然と看護師を志すようになったそうです。

「生半可な気持ちでは看護師の資格は取れません。人の命を預かる仕事なので、安易に考えないほうがいいと思いますよ。講義、実習、レポートと毎日、目まぐるしく学び、泣きながら学校に通っていたときもありました」と山本さんは学生時代を語ります。

大きなやりがいと自分の環境にあった職場選択ができることのメリット

そうして努力して手に入れた職業のやりがいは何ですか？　と尋ねると「患者さんやその家族の笑顔を見たときには心が癒されます。治療や処置の際に的確に動けたときに面白さを感じます。自分の患者さんの状況を判断し、看護に貢献できたときは、とてもやりがいを感じます」とのこと。

山本さんは開業医のもとで働いているため、現在、夜勤はありません。大病院の病棟で働くナースとは状況がかなり違いますが、シングルマザーには子どもと同じ生活リズムがとれる開業医院で働くのがおすすめだそうです。

夜勤がないぶん、収入には差が出ますが、日曜や祝日が休みというのは、子どもを育てながら働くシングルマザーにとってはとても助かるのではないでしょうか。

取材者データー

お名前／山本かおり（仮名）

年齢／36歳

離婚年／2003年

現職年数／14年

お住まい／宮城県

お子さんの年齢／6歳

保険営業

職種データー

必要な資格／生命保険・損害保険のライセンス

勉強や研修／入社後、定期的にある試験にクリアーすることが義務づけられている

資格取得にかかる期間／最初の試験のための研修期間は約1ヶ月

資格取得費用／0円

生命保険や損害保険など、あらゆる種類の保険を売るプロ。保険の成約が、そのまま収入アップにつながります。

あらゆる保険商品をとり扱うエキスパート

一口に保険と言っても、生命保険や火災などさまざまな種類のものがあります。保険の営業は、その保険商品をすべてとり扱う専門家です。最近では生命保険と貯蓄の要素が合体した、投資信託的な商品も発売されており、生命保険の知識に加えて、個人の生活設計をトータルにサポートできるファイナンシャル・プランナー（ＦＰ）の資格取得も求められています。

募集は常時、年齢制限も幅広い成約がそのまま給与に反映

中途採用の求人は定期的に募集されており、第一関門は、簡単な筆記試験と面接にパスすればＯＫ。年齢制限も比較的高めで、シングルマザーにとっては入りやすい職業といえます。ただし、採用されてからは、保険を売るプロとなるため、研修と資格取得の試験に定期的にトライしていかなければなりません。また、営業職である限り、売上のノルマもあり、キャリアやランクごとに課せられたノルマを達成していくことが求められます。この点は大変ですが、保険の成約実績がそのまま給与やボーナスに反映されるので、そのぶんやりがいも大。頑張ったぶんだけ成果がすぐに実感できる仕事です。

メリット

保険の成約という目標に向かってがんばれば、それがすぐに給与に反映されるのがなによりの魅力。通常では会えない、多彩な人とたくさん出会えるのも楽しい。

デメリット

ノルマが課せられるのは営業の宿命。そのプレッシャーは大変かも。保険業務や約款はつねに変わるので、定期的に勉強して、試験にパスしなければならない。

成約が、そのまま給与に反映されるのが、いちばんのやりがい

成約できるかどうかは、お客様との相性次第。失敗しても引きずらない、前向きな姿勢が必要不可欠です。

日頃から真面目に取り組んでいれば試験クリアーはハードじゃない

鈴木陽子さんは、離婚後、従兄弟《いとこ》の紹介で保険の営業を始めました。入社後、1ヶ月間の研修を受け、試験にパスしたうえで現場に配属。その後は、先輩社員の下で営業実務を経験しながら、研修と試験を定期的に受け、2年ぐらいで一人前の営業として活躍することができるようになったそうです。

「試験は大変だと思われがちですが、研修中に話をきちんと聞いていれば、比較的簡単で、そんなに大変じゃありません。現在も年に1度、スキルをチェックされる試験がありますが、真面目に仕事をしていれば、大丈夫です」

その言葉を裏打ちするように、鈴木さんは今年で入社13年目。現在は、営業と顧客サービスを担当しています。

「成約がそのまま給与に反映されるのが、やはりいちばんのやりがいですね。多彩なジャンルの人に出会え、話が聞けるので勉強になります」と仕事から得られるものも多いようです。

失敗は引きずらないのがコツ成約がとれた喜びはひとしお

ただし、売上のノルマには「プレッシャーを感じる」そう。うまくいかないときには、落ち込むこともしばしば。

けれども、「成約できるかどうかは、お客様との相性だと思うので、失敗してもあまり引きずらないよう心がけています。それに、成約できたときの喜びは本当に大きいですから、落ち込んだときの気持ちが吹き飛んでしまうんです」と鈴木さん。

どんなときも前向きに考え、がんばる姿勢が必要不可欠なようです。また、「顧客の都合に合わせるため、残業や休日出勤は避けられない」と一言。仕事が合わない場合は1ヶ月でやめてしまう人もいるそうです。自分のライフスタイルと仕事をうまくマッチさせられるかどうかが仕事を続けていくキーポイントのようです。

取材者データー

お名前／鈴木陽子（仮名）

年齢／41歳

離婚年／1992年

現職年数／13年

お住まい／神奈川県

お子さんの年齢／18歳

働くシングルマザーに聞きました

自治体＆団体の臨時職員

仕事内容は正職員とほぼ同じ。社会保険つきで待遇面は臨時といえども中の上。60歳代までの勤務が可能な場合もアリ！

職種データー

必要な資格／職種による。ない場合が多い

勉強や研修／とくになし

その他／日給（6000円前後〜）や時給、月給制など、賃金や勤務体系は、募集している自治体や団体によって違う

経験や資格は必要なし 長期間勤務も可能

市区町村の職員や、社団法人など半官半民の団体職員の仕事のサポート役として募集される仕事です。仕事内容は、採用される部署や団体によって違いますが、応募方法は、一般の会社と同じで、履歴書や作文を提出し、面接を受けて決定します。けれども、年齢制限は緩やかで、資格や経験がなくてもいい場合が多く、しかも、どこに住んでいても応募できます。自治体の広報やホームページなどで定期的に募集しています。

安定感はあるが、キャリアアップは望めない

一般企業のように会社がつぶれる心配もなく、一度採用されると仕事によほど問題がない限り、クビを切られる心配もほとんどナシ。また、賃金は決して高くありませんが、残業もほとんどないため、子育てをするうえでは理想的な仕事といえます。そのうえ社会保険に加入できるのは大きな魅力。児童扶養手当などを同時に受給すれば、ある程度安定した暮らしがおくれます。

ただし、どんなに長く勤めても、待遇面での向上は望めません。資格取得など、アフターファイブをいかに有効に使うかが、キーポイント。

メリット

公的機関のため、勤務時間は、9時〜5時の世界。残業はほとんどない。ボーナスはないが、社会保険に入れるのはウレシイ。契約制だが、仕事でよほど問題がない限り更新されるため、65歳まで勤められることもある。

デメリット

正規職員への登用は皆無。どんなに長く勤めても、賃金アップはなく、仕事内容もほとんど変わらない。安定はしているが、キャリアアップしていきたい人にとっては、あまりやりがいがなく苦痛かもしれない。

物理的にも精神的にも余裕がもてるのがいちばんのメリット

単調な仕事ではあるけれど、物理的にも精神的にも安定感はバツグン。空いた時間をいかに過ごすかがポイント。

役所の臨時職員への応募が現在の仕事のはじまり

「残業がなく、一般企業より比較的休暇がとりやすい。社会保険に加入できるのもうれしいですね」と語る沢田さんは、東京都内の社会福祉協議会で非常勤職員として働く35歳。勤めはじめてから、今年で7年目。もともと役所の臨時職員に応募していたのが、採用のきっかけにつながったそうです。

「突然、いまの勤め先から連絡が来て、働いてみる気があるかどうか聞かれたんです。自治体の臨時職員に応募していた履歴書のなかからチョイスしたそうで、面接後すぐに働きはじめました」

待遇改善のために現在、資格取得を考慮中！

仕事は、視覚障害者が外出時に利用するホームヘルパーさんのコーディネイトと管理。人とのコミュニケーションがおもな仕事となるため、「言葉づかいや会話」がなにより重要なポイントになるそうです。へりくだり過ぎてもあまり命令口調で言ってもダメで気を使うそうです。

自分から切りださない限り、65歳まで働けるので、仕事には「ほぼ満足している」そうですが、このままでは「何年勤めても、仕事内容も待遇も変わらないのが臨時職員の宿命」。そのため「いまの業界でキャリアアップしていけるよう、社会福祉士の資格取得を考えています」と沢田さん。

話を聞いて思ったのは、一般のパートやアルバイトより、身分も保障され、待遇もベター。物理的にも精神的にも安定感が得られる点は、離婚した当初の勤め先としてはかなりオススメ。さしあたってつきたい仕事がなければ、ダメもとで、履歴書を出して登録していて損はないと思いました。

取材者データー

お名前／沢田君子（仮名）

年齢／36歳

離婚年／1996年

現職年数／7年（1年ごとに契約を更新。現在に至る。独身時代は、某衛星放送の編集を担当。まったく違う世界に生きていた）

お住まい／東京都

お子さんの年齢／12歳と９歳

働くシングルマザーに聞きました

派遣社員

キャリアを武器に会社間を渡り歩く一匹狼。安定はないけれど、無料でスキルを身につけられるのがいちばんのメリット。

職種データー

必要な資格／登録職種による
勉強や研修／スキルを身につけたい人のために、社会人マナーやパソコン技能の講習などを無料で開催している派遣会社もある。研修期間は講習ごとにさまざま
その他／時給額に交通費がふくまれる場合もある。雇用条件や雇用形態は派遣先により多種多様。なかには、まれだが正社員への登用がある場合もある

希望に沿った働き方が可能 契約は派遣会社と結ぶ

個々の経験や技能、働きたい希望条件に沿って派遣会社に登録。派遣会社から仕事の紹介を受けて、派遣先の企業で働く仕事です。雇用契約を結ぶのは、派遣先の企業ではなく、あくまでも派遣会社で、時給が原則。ただし、社会保険は派遣会社で加入することができます（労働時間など条件あり）。

仕事内容、雇用条件は 派遣先ごとに違う！

派遣社員は、最低3～6ヶ月の期限つきで働くケースが多く、会社を渡り歩きます。同じ職種でも正社員のサポートでいいときもあれば、社員と同じ仕事や責任を求められる場合もあり、派遣先によってその仕事内容は異なります。そのため臨機応変に、職場に適応する能力が求められます。

気になる時給も1000～2000円台とピンからキリ。その人のキャリアや技能、派遣先の企業などによって、待遇や勤務時間、休日も違います。ひとつの契約が終了してから、次の仕事が来るまで間がある場合もあり、収入は不安定ですが、多種多様な職種や会社を経験することができます。アルバイトをするなら派遣として仕事をするほうが、身分も時給も保証されます。

メリット

勤務時間や勤務地など、働き方を自分で選ぶことができる。嫌な上司や労働環境にあたってしまっても、期限つきなので、気持ちに余裕をもって対処することができる。人間関係のしがらみも、あまりないので気がラク。

デメリット

正社員への登用はほとんどない。どんなに長く勤めても保証はないので、会社が苦しくなったらまっ先にリストラ対象に。派遣会社の営業さんに交渉すれば、時給が上がる可能性はあるが、仕事がなくなる恐れも大。

キャリアとスキルを身につけながら次の一手を考える

ライフステージに合わせて働き方を選ぼう。

最初は子育て第一に会社を選んで短時間勤務

息子さんが1歳のときに離婚した小野寺さんは、離婚前から派遣社員として勤務。婚姻中は週2～3日だった勤務を、離婚後はフルタイムに切り替えたそうです。

「ただし、子どもが小さいうちは10～16時の短時間勤務で、勤務地も自宅から歩いて通えるところにしました。親子の時間を大切にしたかったのです」と、離婚から10年が経ついま、当時のことを懐かしそうに話します。

面接ではヤル気を強調職場の人間関係はかなり重要

登録職種は「一般事務」。複数の派遣会社へ登録して仕事を探し、これまで「国内外の営業事務」や「技術者のアシスト」「PCインストラクターの採用と管理」など多彩な仕事を担当。この10年間で、5社を経験しています。

「企業も複数の派遣会社の人を面接して、一番いい人を採用するんですよ。資格やキャリアがモノをいう世界ですね。ヤル気も大事です」と小野寺さん。そうした難関を突破するためには「子どもがいるデメリットもあるけれど、子どもがいるからこそがんばれるメリット」や、「自分以外に子どもの面倒をみてくれる人の存在がきちんとあり、意欲を支えるバックグラウンドもある」ことを面接担当者に訴えることが重要だと強調します。

「仕事上、難しいのは人間関係。とくにお局さまとの関係は大事（笑）。あとは、面接に落ちてもめげないこと！　私は社会勉強だと思い、割りきっています」

子育てが一段落したいま、Oさんは生涯続けられる仕事や資格取得を模索中です。

取材者データー

お名前／小野寺真弓さん（仮名）
年齢／35歳
離婚年／1995年
現職年数／10年（この期間に5社を経験。現在勤務する会社は、契約更新を重ね4年目に入る）
お住まい／神奈川県
お子さんの年齢／11歳

医療事務

医師と看護師を事務面でサポートするプロ。パートからフルタイムまでいろんな働き方ができる職業のひとつ。

職種データー

必要な資格／診療報酬請求事務能力認定試験や、保険請求事務技能認定試験など複数の医療事務認定試験による資格がある

勉強にかかる期間／専門学校では１年以上、通信講座では約3ヶ月から取得できる

資格取得費用／通信教育講座で約4～5万円。ほかに資格認定料や受験料がかかる

医療費計算から電話受付まで幅広い仕事内容

医療事務は、病院で診療を受けにきた患者の医療費を計算し、診療報酬明細書（レセプト）を作成する仕事です。ただし、個人病院などの場合は、医療費の計算に加えて、患者の受付から医療費の精算、カルテの整理などを一人でこなさなければならない場合もあり、それらの仕事を統括的にできる力が求められます。また、最近ではどのエリアの病院でもＩＴ化が進み、レセプト・コンピュータを操作・管理する能力も求められています。

今後もニーズは大 ただし、仕事内容や待遇は千差万別

高齢化社会のなか、医療施設は不況下でも増加傾向にあり、医療行為をおこなううえで欠かせない仕事であることを考えると、医療事務は今後も社会的なニーズが高く、安定した職業だと思われます。そのうえ資格取得もあまり難しくありません。資格を生かした仕事につきたい人にとっては、まさにうってつけの仕事といえます。

ただし、仕事内容や待遇は、個人病院や総合病院など、病院ごとに千差万別です。どんな職場に就職するかによって、仕事へのやりがいや満足度はかなり違うのが現実です。

メリット

個人病院の場合、仕事を一人で統括してできる場合が多いので、やりがいが大きい。医師がそばにいるので、健康面の相談や対応がかなり速やかにできる。

デメリット

医療事務の締め日は毎月１度。人数が少ない場合は、事務処理が大変なので、その前後は、残業や休日出勤もある。子どもが小さい場合は二重保育が必要かも。

キャリアがモノをいう仕事です！

知識と経験のきちんとした積み重ねでキャリアアップが見込めます。

自分次第で充実したアフター・ファイブを過ごすことが可能

夫の不倫に気づき、別れる決意をしていた星野淳子さんは、婚姻中から医療事務の資格を取得しました。数ある資格のなかから、医療事務を選んだのは、友人が医療事務を教える先生で、取得後、就職先も紹介してもらえたから。当初は派遣パートでしたが、知識とキャリアを身につけた現在は、個人病院で正社員として働いています。

「事務だけでなく、朝の掃除や受付、お金の精算まで何でもしています。月に一度、事務のまとめをする前後は、残業もあり、仕事を家へ持ち帰ることもしばしば。この点は、小さな子どもがいる人は大変かもしれません」

ただし、ある程度、仕事のペースをつかんでしまえば、「大変ではあるけれど自分で調整して、プライベートを有効に過ごすことも可能」だそう。星野さんは、休日やアフター・ファイブを利用して、現在、通信制の大学で講座を受講したり、新たな資格取得を目指してレッスンをしたりと、とても意欲的に活動し、充実した毎日を送っています。

医師や家族との相性も大事 待遇はまえもって確認を！

「小さなクリニックの場合、先生との相性も重要です。先生の家族が受付や経理業務を担当している場合は、その人との相性も大事ですね。また、待遇も病院ごとにさまざま。働くときはどんな待遇かをきちんと確かめておくことが必要です」

星野さんの場合は、「幸運にも医師との相性もよく、待遇もかなり優遇されている」そう。けれども、その背景には、長年積み重ねてきた星野さんの仕事の実績があります。「事務主任」という現在の地位は、医師とのあいだに大きな信頼があってこそです。

「まず行動し、資格を取り、アルバイトでいいから働いて実績をつくることです」と星野さんは言います。

取材者データー

お名前／星野淳子（仮名）

年齢／52歳

離婚年／2001年

現職年数／８年

お住まい／埼玉県

お子さんの年齢／26歳と22歳

働くシングルマザーに聞きました

保育士

職種データー

必要な資格／保育士

勉強や研修／厚生労働省が指定する学校・施設で一定の科目を修得し卒業するか、同省が指定する施設で働いたうえで、都道府県知事がおこなう試験に合格することが必要

資格取得にかかる期間／通信講座で約1年

資格取得費用／通信教育講座で約5万円。ほかに受験料も必要

女性の社会進出や核家族化によって、社会的ニーズは上昇中。ただし、中途採用の道はきびしく、パートや臨時職員がほとんど。

共働き家庭の増加と核家族化により需要は上昇中

保育士とは、保育所で乳児から小学校就学までの幼児を保育する人の総称。仕事につくためには、厚生労働大臣が指定する学校で一定の科目を修得して卒業、もしくは児童福祉施設などで2～5年以上働いたうえで、都道府県の保育士試験に合格することが必要です。共働き家庭の増加や核家族化、それに国の少子化対策により、保育士の社会的ニーズは年々高まっています。また、出産や育児などの経験も生かすことができ、シングルマザーにとっては有利な職業といえます。

正社員採用はなかなかない 体力は必要不可欠！

しかし、中途採用で就職するのはなかなかきびしく、私立園は別ですが、公立の保育所の場合、求人は年齢制限があったり、臨時職員の募集だったりすることが多いのが現実。また、仕事で一定時間だけ面倒をみるとはいえ、乳幼児の世話は大変なので、ある程度体力があることも求められます。ただし、子どもたちの成長過程をつぶさに見られるのは、この仕事ならではのメリット。大きくなっていく子どもの姿が、そのまま仕事のやりがいとなります。

メリット

出産・育児という、女性ならではの経験を生かせる職業。経験があるので、親との信頼関係も築きやすい。子どもの成長がなにより仕事へのやりがいとなる。

デメリット

公立園では、非常勤や臨時職員の募集がほとんど。社会保険には入れるが、園ごとに、規定や福利厚生はさまざまなので、働くまえに確認することが必要。

子どもからもらえるたくさんのパワー

やりがいは、子どもの成長していく姿。未来に貢献している実感がもてます。

大学卒業後、ずっと続けてきた保育士の仕事

小林由美子さんは、保育科の大学を卒業し、その後、公立の保育所へ就職。以来、ずっと保育士をしています。仕事についた動機は、中学のときの先生の影響。人と関わる仕事につきたかったのだそう。もちろん、子どもも好きだったそうです。

「朝早くから夕方までの仕事は大変でしたが、子どもの小さいうちはおばあちゃんの助けがあったので、何とかこれまで続けてくることができたと思います。もう、40代なので体力的にはきついですが、がんばれば、子どもはかならずそれを返してくれる。それがなによりのやりがいです」と、仕事への満足度はかなり高いようです。

離婚の悩みが超えられたのは仕事をしていたからこそ

仕事を始めて20年。もはやベテランとよべる域に入っていますが、小林さんは「子どもの変化は目まぐるしく、毎日が戦争。お母さんとのつきあいも大変。素行が気になる子のようすを伝えるときは、苦労する」と言います。

けれども、「離婚直後に自分を見失わずにこられたのは、この仕事があったから」と小林さん。「勤務中は、子どもの面倒をみるのが精一杯で、ほかのことを考えている余裕はないし、子どもの笑顔や何気ない言葉に励まされることがたくさんあった」と言います。

シングルマザーがこの仕事につくメリットは「育児の経験が生かせること」。ただし、中途採用の場合、「なかなか正職員への登用はないのが現実。園によって、勤務内容や待遇も違う。働く際にはその点をまず確認することが重要」と言います。

これまで一度も保育士として働いたことがない場合は、私立園の正職員になるか、もしくは公立園で臨時で働いて、それをキャリアにして保育関係のほかの職場に転職するステップにするといいかもしれません。

取材者データー

お名前／小林由美子（仮名）
年齢／45歳
離婚年／1997年
現職年数／20年
お住まい／山梨県
お子さんの年齢／17歳と16歳

働くシングルマザーに聞きました

社会保険労務士

職種データー

必要な資格／社会保険労務士

勉強や研修／通信講座や専門学校で講座を受けるのが資格取得への近道

資格取得にかかる期間／国家試験は年1回のみ。1～4年が目安

資格取得費用／9000円。合格後、登録料が5万円。別途各都道府県の社会保険労務士会への入会金や会費が必要

給与や社会保険料の算出から、会社の賃金体系や労務と人事に関する悩みまでをサポートする専門家。

将来性バツグン！ 独立開業もできる価値ある職業

社会保険労務士は、労務や社会保険に関するエキスパートです。給与や社会保険料の計算にはじまり、企業の人事や賃金設計、労務に関する相談事へのアドバイスなどまで、その業務は多岐にわたっています。最近は高齢者の雇用や、パート、契約社員の増加により、社会的ニーズは高まる一方で、シングルマザーでなくても魅力的な職業のひとつといえます。

資格取得はかなりの難関

ただし、資格をとるには覚悟が必要です。年に一度おこなわれる試験では、「労働基準法及び労働安全衛生法」「雇用保険法」「健康保険法」など8科目において、すべて一定以上の正答率を出すことが求められます。合格率は2016年度で4・4%。なかには、5年かけて取得したという人もいます。けれども、大変なだけに取得する価値は十分にあり、就職や転職で強みになることは確実。入社してからも、専門職として給与や待遇の優遇が期待できます。また、資格取得後、各都道府県の社会保険労務士会に登録すれば、独立起業をすることも可能です。さらに設備投資をあまり必要としないので、やる気があれば開業できます。

メリット

多くの企業で求められている知識をもつ。企業に勤めてもよし、独立開業してもよし、いろんな働き方が可能。入社後は、待遇面での優遇も期待できる。

デメリット

資格を取得するのはかなり難しい。また、社会的なニーズは確実にあるが、それを生かせるかどうかは本人次第。営業力がやはりモノをいう。

仕事の幅は自分次第で大きく変わる!!

取得した資格の生かし方が仕事の満足度に大きく反映します!!

きっかけはリストラ 一念発起して資格を取得

大野恵さんが社会保険労務士になろうと思ったのは、婚姻中、6年間勤めていた会社をリストラされたのがきっかけだったそうです。

「夫も子どももいたので、きっと肩たたきがしやすかったんでしょうね。でも、自分を否定された気がして、とても悔しくて、何か確固とした資格を取ろうと思いました」

そこで思いたったのが、社会保険労務士の資格取得。「会社員時代、総務や人事的な仕事をしていたため、仕事内容になじみもあった」そうです。大野さんは育児と家事、そしてアルバイトをこなしながら、専門学校へ通い、試験勉強をしました。

「昼間は勉強ができないので、朝4時に起きて勉強していました。当時、子どもは2歳と3歳。毎日必死でした。いま、同じことをやれと言われてもできないかも（笑）」と大野さん。

その熱意が功を奏したのか、難関試験をみごと一発でクリアーすることができました。

労働保険事務組合に就職後、現在は事務所を自営

その後、大野さんは労働保険事務組合に就職。しばらく実務に携わり、現在は個人事務所を開業しています。

「いまは収入よりも自分のペースを大切にやっています。時間のやりくりが自分でできるので、子どもとの時間をもつことができ、気に入っています。自分で営業をしなければならないし、収入も不安定ですが、そのぶん、やりたいことはできるだけしているので、ほぼ満足しています」

今後の抱負は「顧客サービスの拡大」。大野さんはすでに、産業カウンセラーの資格も取得していますが、その資格も生かしながら「企業の社員教育やメンタル・カウンセリングなどを展開していきたい」とじつに意欲的。着々とキャリアを積み重ねています。

取材者データー

お名前／大野恵（仮名）
年齢／46歳
離婚年／2003年
現職年数／12年
お住まい／神奈川県
子ども／15歳、14歳、8歳

働くシングルマザーに聞きました

SOHO（在宅ワーク）

Small Office Home Office の頭文字をとった、働くスタイルの総称。在宅でパソコンを使っておこなう仕事スタイル。

職種データー

必要な資格／とくになし
勉強にかかる期間／人による
資格取得費用／なし
講座料金／講座による
その他／資格がなくてもできる仕事だが、パソコンスキルと何かしらの専門性が必要。それに関する資格をもっていると強みにはなる

インターネットの普及で働き方の選択ができるようになった

一般的には自宅を仕事場にして、情報通信ネットワークを利用して業務をおこなうワークスタイルをSOHOといいます。インターネットが普及してきたことや、不況のなかで日本の雇用形態が変化してきたことなどが、SOHOという新しい事業形態を生み出したといえるのではないでしょうか。

SOHOで仕事をするということは、子育て中でも、工夫次第で仕事がこなせ、自由に働く時間を選択できるというメリットがあり、シングルマザーには理想的な働き方です。

ただし、自分が事業主なので、すべて自分で考え主体的に行動することが必要です。

SOHOは実力主義です。頼る人は自分しかいません。ですから、能力がないと仕事はできませんし、仕事のスキルだけではなく、経営手腕も必要です。すべて自己責任で営業から納品、債権回収までやらなければなりません。そして、納期に遅れることがないように、健康管理や自己管理も大切です。

何でも自分でやらなければいけないことを覚悟して、前向きに努力できる人にはおすすめです。

メリット

年齢、学歴、国籍に関係なく誰でも自宅で仕事ができる（会社へ行く必要がない）。自分のペースで、全国どこに住んでいても仕事をすることができる。

デメリット

誰にでもできると思われがちだが、すべて自分自身でやらなければならないため、自己管理能力を要求される。

自宅が職場だから子どもを見守りながら仕事ができて安心

障害児を抱えていてもSOHOなら仕事ができます。同じハンデをもったお母さんたちにぜひおススメです。

自分にあった働き方の選択

ＳＯＨＯという働き方を選択して、3年目の大高里奈さん。６歳の女の子を育てるシングルマザーです。

娘さんが3歳のときに自閉症という障害があることがわかりました。パニックを起こしたり、集団行動ができないため公営の保育園に預けられないことが、ＳＯＨＯという働き方を選んだきっかけでした。

パソコンスキルと専門性を生かそう

大高さんは、結婚前にパソコンのネットワークの構築と管理担当という職業経験がありました。経験を生かしてパソコン教室の運営からスタート。現在では、データー分析や入力の仕事を中心に活躍しています。「職業訓練校の講師の経験もありました。過去の経験が現在、さまざまな職業のデーター分析に役立っています」と大高さん。

ＳＯＨＯの仕事内容はさまざまですが、経験や専門性を生かしてエキスパートにならないと、安定した収入を確保するのは困難です。

ハンディキャップを乗り越えてがんばれる仕事

「将来は、障害者やその親たちにこの働き方をすすめたいので、自分が、ＳＯＨＯで働く人を育てられるようになりたいんです」と大高さんは夢を語ります。

個人として仕事を受託するだけにとどまらず、大きな仕事を受けてがんばっている仲間たちにふりわけてまとめられる人になりたいと考えているそうです。

ひとり親家庭であることだけでもハンデですが、ひとり親家庭であっても、さらに、預けられない小さなお子さんや、障害児を育てながらでも、がんばれる働き方がＳＯＨＯです。

取材者データー

お名前／大高里奈

年齢／30歳

離婚年／2002年12月

現職年数／3年

お住まい／北海道

お子さんの年齢／6歳

働くシングルマザーに聞きました

ITエンジニア

情報技術にかかわる技術者です。変化の激しいIT業界にはさまざまな施術者が必要とされ、今後も成長を続ける職種。

職種データー

必要な資格／とくに資格は必要ないが、スキル向上のための資格は職種によってさまざまあり。

勉強や研修／情報の入れ替わりが速いので、つねに新しいことにチャレンジしていきたい人には向いているが、情報収集能力と向上心が必要。

その他／全体的に高収入。年功序列ではなく成果やスキルが評価される。

時代の波にのって成長するＩＴ業界

パソコンとインターネットを活用した情報技術に関連する仕事は、いま、もっとも注目されている（ニーズがある）といってもいいでしょう。

ＩＴエンジニアとは、情報技術にかかわる技術者で、業務内容や職種は多岐にわたります。プログラマー、テスター、デバッガー、ＩＴアーキテクト、ネットワークエンジニア、データーベースエンジニア、プラットフォームエンジニア、オペレーターなど、ＩＴエンジニアといってもさまざまな種類があり、プロジェクトの遂行のため、各ポジションに振り分けられています。

ＩＴエンジニアの魅力

ＩＴはつねに進化しつづけ、1年後にはいまはないまったく新しい技術が開発されていることもめずらしくありません。最先端の現場を知り、携われることにやりがいを見いだせるでしょう。自分がふれたことのない技術を学ぶチャンスも豊富にあります。

いつもパソコンに向き合って無言で仕事をしているイメージがありますが、コミュニケーション能力も磨かれます。クライアントの声を聞き、それを形にするために各ポジションの人たちと連携をとって作業するからです。

メリット

仕事の幅が広いので、飽きない。エクセル入力ができるくらいのスキルからチャレンジできる。時間の融通が利き、在宅ワークも可能。

デメリット

職場によっては、労働条件が悪い場合もみられ、求職時は事前調査・交渉をしっかりしたほうがよい。

興味があれば、ゼロからでもスタートできる人気の職種

パソコン仕事が好きなら、働きながら新しいことにチャレンジでき、向上心でスキルアップしていける職種です。

仕事の幅が広いので飽きない

竹田晶子さんは現在、人工知能のプログラミングをする企業で働いています。その業務内容をうかがうと、データ整備、インフラ整備、仕様策定、プログラミング、プロジェクトの管理・運用、サポート対応とさまざまです。

「なんでもやりますよ。小さな会社なので、ひとつの業務だけやっていればすむってことにはならず、できることはぜんぶやっています」

20代のころにプログラマーとして6年間、会社員生活をおくっていたそうですが、最初はゼロからのスタートだったとのこと。「パソコンが好きで、表計算ソフトのエクセル程度が使えて、情報収集が好きで向上心があれば、向いている職業だと思います」と竹田さんは言います。

向上心をもってスキルアップする

竹田さんは20代のころ働いていた会社で元夫と出会い、沖縄に移住。夫婦でフリーランスでＩＴ関連の仕事をしていたそうです。夫のＤＶから逃れるために東京に戻り、生きていくのに必要な情報を手に入れたくて、シングルマザーを支援するＮＰＯ法人で2年間、アルバイトをしました。そこでもＩＴのスキルは役に立ったといいます。

現在の勤め先との出会いは、インターネットのＳＮＳでした。Ｍｉｘｉで以前の職場の上司と出会い、彼の紹介で入社に至りました。

最初から多様・重要な仕事を任されていたわけではなく、チームの一員として補佐的な仕事をしていました。空いている時間を使って、少しずつ興味のあったプログラミング言語を新たに学んだりして、働きながらスキルアップしていったそうです。

働きながらいろいろなことを学んでいけるので、好奇心が旺盛でがんばり屋のシングルマザーには、ＩＴエンジニアは向いている職種だと思います。

取材者データー

お名前／竹田晶子（仮名）
年齢／52歳
離婚年月／2013年11月
現職年数／12年
お住まい／東京都
お子さんの年齢／20歳

働くシングルマザーに聞きました

ホームヘルパー（訪問介護員）

社会的貢献度は高いが、仕事内容はかなりハード。しかし、キャリアアップへの道程は努力次第で確実に用意されている。

職種データー

必要な資格／介護職員初任者研修

勉強や研修／自治体や民間の養成研修機関の講座を受講することが必要。通学と通信がセットであることが多い

資格取得にかかる期間／最短で約3ヶ月

資格取得費用／通学＆通信講座で約8〜9万円

高齢社会の到来でニーズは拡大中

ホームヘルパーは、家庭や施設で介護が必要な人の生活全般の手助けをする仕事です。２０１３年の介護保険法施行規則改正により、旧ホームヘルパー２級に相当するものとして、介護職員初任者研修が誕生しました。介護の仕事に就くには、この研修の受講が必要です。介護に関する基礎的な知識や技術を、講義と演習の両方で学び、訪問介護だけではなく、施設介護の仕事にも活かせる内容になっています。

　高齢社会の到来で、ニーズは年々高まる傾向にあり、不況下でも求人が見込める仕事です。資格取得に年齢制限もなく、離婚後いちから仕事を探さなければならない人にはおススメの職業のひとつといえます。

タフな心身とボランティア精神が必要

　とはいえ、介護には終わりがなく、認知症の人との会話や、食事や排泄の手助けは、慣れるまではかなりハードな仕事であるのが現実。けれどもその点をクリアーできれば、人とのコミュニケーションを通してその人を励ます仕事のやりがいは、かなりのもの。社会的貢献度も高く、ボランティア精神でがんばることができれば、キャリアアップの道も確実に用意されています。

メリット

社会的貢献度が高く、不況でもある程度の求人が見込める。介護福祉士やケアマネージャーなど、キャリアを生かした将来の姿も確実に思い描くことができる。

デメリット

通常のデスクワークより体力、気力ともにかなり求められる。正職員では夜間勤務もあるので、子育てとどう両立させるかがキーポイントとなる。

子どもの成長にあわせ、徐々にステップアップ

介護福祉士やケアマネージャーなどの資格取得で仕事の幅を広げられる

資格取得で離婚前から生活力をアップ

田代可奈さんは、現在、「介護福祉士」。特別養護老人ホームでパート職員として働いています。

介護の現場で働きだしたのは、約10年前。当時は元夫と同棲中で、だれにでもできる仕事だからという動機で始めたそうです。仕事をスタートしてから、ホームヘルパーの認定制度があることを知り、雇用保険の助成金制度を利用して資格を取得。その後は正職員として働いていたのですが、妊娠を機に退職。長女を出産したあとは、家で子育てに専念していました。

介護福祉士となったのは娘さんが3歳のとき。「出産後、夫婦関係がダメになり、別れるかどうか悩んでいたとき、生活力を少しでもつけておこうと思った」のがきっかけだったそうです。

田代さんはまず、ＮＨＫ学園の通信講座を2年間受講して、介護福祉士の受験資格を取得。その後、国家試験を受けて、見事一発で合格しました。その後は、離婚前から現在の職場で週に数時間ていど勤務。離婚後はパートで月１２０時間くらい働いています。

娘の成長とともにステップアップし、ケアマネージャーになることが夢

仕事のやりがいは、やはり「人から喜ばれる点」だとか。田代さんは、「世話をしている人からの感謝の言葉や笑顔がいちばんの励みになる」と言います。ただし、「そうした人の言葉や態度が反対にストレスになることも多い」そうです。そんなときには「あまり気にせず、受け流すのがコツ」と笑いながら話してくれました。

今後の目標はケアマネージャーになること。昨年、試験に合格し、現在は実務研修中です。「急がず、娘の成長に応じて、徐々にステップアップできたらと思う」と田代さんは言います。

ライフステージに沿って働く、女性にとってまさに理想的な働き方。物事を性急に捉えず、ゆっくり考えじっくり歩む田代さんには、介護の仕事がとても向いている気がしました。

取材者データー

田代可奈（仮名）
年齢／36歳
離婚年／2008年
現職年数／10年
お住まい／愛知県
子ども／6歳

働くシングルマザーに聞きました

介護福祉士

重労働でハードなイメージが強いが、人に感謝され、やりがいもある仕事。さらにキャリアアップの道もある。

国家試験が必要とされる介護職

介護の相談員として働くとき、かならずしも資格は必要ではありませんが、「介護福祉士」と名乗るためには国家資格を取得しなければなりません。介護福祉士は、高齢者や認知症など日常生活が困難な人たちに対して、入浴・食事・排泄などの介護をする仕事です。これらの業務を通じて当事者の身体的・精神的自立のサポートをするのはもちろん、家族などの介護者とも接し、介護についての指導や助言をします。同じ分野に「ホームヘルパー」（P36）がありますが、介護福祉士は国家資格であるため、就職活動や給料の面で有利になることが多いです。

実務経験が資格取得に生かされる

介護福祉士の国家試験はまず、キャリアを積んで受験資格を得ることが第一歩です。そのための道は2種類あります。3年以上の実務経験を積むことと、福祉系高校を卒業することです。シングルマザーの場合には、ヘルパーをしながら実務経験を積み、実務者研修を受けてから取得する人が多いようです。さらにスキルアップしてケアマネージャーの資格をめざす人もいますし、民間の資格にもさまざまな介護関係の資格があるので、仕事の枠を広げることが可能です。

職種データ―

必要な資格／介護福祉士（国家資格）

勉強や研修／現場で働きながら資格取得やスキルアップをめざせる。3年以上の実務経験に加えて、介護福祉士実務者研修を受ける必要があり

資格取得にかかる期間／2～3年

資格取得費用　受験料1万5300円、実務者研修費用2～4万円ほか、学費など

メリット

性別、年齢を選ばずに専門知識を身につけることができる。関連するさまざまな資格でスキルアップがめざせる。人材不足なので、つねに求人がある。

デメリット

重労働で体力勝負。職場によっては夜勤がある。人の死に目にあうので、悲しい思いをすることが多い。

ヘルパー経験を生かし、働きながら資格取得ができる

重労働ではあるけれど、利用者からの感謝がうれしい。

お母さんの介護から興味をもって……

吉本智子さんは、働かずに引きこもっている夫に見切りをつけて、14年間の結婚生活を解消しました。離婚当初は昼間と夜のパート仕事のかけもちで、とにかく生活費を稼ぐことに精一杯だったといいます。

「母を癌で亡くし、介護職の仕事をまぢかに見ていたので、興味がありました。働きながら資格がとれるというデイサービスの求人広告を見たときに、コレだと思いました」。デイサービスで実務経験を積みながら、学費の負担がなくヘルパーの資格取得ができるところに魅力を感じて、パートを辞めてその介護施設の仕事についたそう。

デイサービスでの仕事は朝の8時半からはじまって、夕方の8時半まで。利用者の入浴介助、オムツ交換、移動サポートやリハビリ介助、レクリエーションや作業、ゲームなどのサポートなど、一日があっというまに過ぎるそうです。幸い、いまの職場では夜勤がないことも魅力だといいます。

吉本さんはヘルパーとして3年の実務経験を積んで介護福祉士の資格を取得。仕事内容は変わらないものの、給与面のアップにつながったそうです。

多方向へのスキルアップの道

介護の仕事にはさまざまなスキルアップの道があります。「ケアマネージャーをめざすのはもちろんですが、認知症ケア指導管理者や介護心理士など、仕事に役立つので、学びたいと思っています」と吉本さんは言います。

一見、重労働でたいへんそうに見える仕事ですが、利用者やそのご家族から「ありがとう」と言われない日はなく、それがやりがいにつながっているとのこと。人の老いや痛みに寄り添う仕事で苦労もありますが、苦労を知っていて気配りのできるシングルマザーにこそ、向いている職業なのだと思います。

取材者データー
お名前／吉本智子（仮名）
年齢／46歳
離婚年月／2010年6月
現職年数／3年半
お住まい／千葉県
お子さんの年齢／21歳、16歳、12歳

職種データー

必要な資格／介護支援専門員（国家資格）

勉強や研修／5年の介護実務経験と試験の合格、さらに「介護支援専門員実務研修」の全日程をすべて受講したうえで、レポートを提出する必要がある

資格取得にかかる期間／5〜10年

資格取得費用／受験料1万円弱、実務研修費用数万円（ともに都道府県により異なる）

働くシングルマザーに聞きました

ケアマネージャー（介護支援専門員）

現場の仕事で積みあげた知識をさらに生かし、介護全般をコーディネートするスペシャリスト。

お年寄りやその家族からの介護相談の専門家

ケアマネージャーの仕事は、お年寄りとその家族からの介護相談からはじまります。依頼は、本人や家族のほか、地域包括支援センターなどからも入ります。相談内容をもとに、よりよい介護サービスを受けられるよう手助けをします。

適切な援助をおこなうには、お年寄りとかかわりのあるすべての人やサービス（家族、親族、かかりつけの病院や介護サービス）と連携をとることが必要。そのため、コミュニケーション能力も必要になります。

具体的な仕事内容は、介護相談、ケアプランの作成、要介護認定の書類作成代行、介護保険の給付請求、各介護サービスとの連絡調整など。お年寄りやその家族が安心して介護サービスを受けるための縁の下の力持ちです。

現場の経験が生きてくる

一定の実務経験が必須になるなど、ほかの介護資格とくらべて受験資格を得るまでのハードルは高いです。だからこそ、求人も多く、職場や仕事を選ぶことができます。介護施設などの経験を積んで、学びながらケアマネージャーをめざす人が多いようです。

メリット

活躍できる職場が数多い。仕事内容や職場が選べる。求人が多い。介護現場でのこれまでの経験を存分に生かして働くことができる。

デメリット

試験が難関（厳格な受験資格が必要）であり、必要とされる実務経験も5年と長いので、地道な努力が必要。

介護の仕事の今後

制度改正が進み、今後に期待がもてる職種

高齢社会にあって人材不足とされている介護の仕事ですが、ここ10年間でさまざまな変化がありました。介護福祉制度や介護保険制度が変わり、介護の質の向上をめざす流れが生まれています。それにともない、介護者の質の向上が求められています。

ホームヘルパー2級は介護職員初任者研修に名前を変え、未経験でも働きながら受講することができます。年齢や学歴を選ばないのも、この職種を選ぶメリットです。

さらにスキルアップをめざす人向けに、介護福祉士の国家資格があります。介護福祉士の国家試験は２０１６年から、実務経験者を対象とした受験資格として、４５０時間の研修が追加され、厳しくなりました。受験資格の厳格化には、介護職の専門性を高めて給与アップなど処遇改善につなげるねらいがあるようです。重労働・低賃金といわれていた介護の仕事ですが、従事者のスキルとともに賃金の向上もめざされていることは確かなので、今後の改善に期待がもてそうです。

その他、介護に役立つ資格はさまざまあって、自分の働き方にあわせたスキルアップをできるのも魅力です（下記参照）。

また、介護福祉士のあとで一般的にめざす資格としてケアマネージャーがありますが、介護福祉士とは違って、現場で働くのではなく、介護を求める人と介護をする人とをつなぐコーディネーターの役割になるので、介護現場の仕事が好きな人のなかには、ケアマネージャーはめざさない人もいます。

本書の初版が刊行された11年前とはじょじょに変わっている面があり、今後は高度な専門職になっていく一方、待遇面や給与面の向上も期待できるのではないでしょうか。

ヘルパーや介護福祉士の現場経験を活かせるスペシャリストの資格として、ぜひめざしてほしいと思います。

介護職に役立つ資格

- 認知症ケア指導管理士
- 認知症ケア専門士
- 認定健康心理士
- ガイドヘルパー（移動支援従業者）
- 介護予防運動指導員
- 福祉用具専門相談員
- 高齢者コミュニケーター

就職に関する公共支援情報

母子家庭等就業自立支援センター

シングルマザーの雇用と暮らしを応援するセンター

情報とサービスを提供します！

個々の家庭の状況、職業適性、就業経験などに応じて、適切な助言をおこなう就業相談の実施や就業支援講習。公共職業安定所などの職業紹介機関と連携した就業情報の提供など、一貫した就業支援サービスを提供しています。

また、生活の安定と児童福祉の増進を図るため、養育費のとり決めなど専門家による相談体制の整備や、継続的生活指導が必要な家庭を支援します。

事業の内容

(1) 就業相談

専門の相談員が、母子家庭のお母さんの就職にともなう困りごとにアドバイスをしてくれます。

(2) 就業支援講習会

パソコン講習・就労支援セミナーなど就職に有利な資格や技能を身につけるための講習会を開催しています。

※講習会を開催する際には、受講を容易にするため、託児サービスあり。

(3) 就業情報提供事業

就業支援バンクに就業希望条件を登録すると、ハローワーク、福祉人材センターなどと連携して、適性に応じた就業情報を提供してくれます。また、企業に対し、ひとり親家庭の雇用促進の啓発活動もおこなっています。

(4) 母子家庭等地域生活支援事業

養育費のとり決めなど、生活に密着した問題解決のために専門家を招いて特別相談事業をおこなっています。父子家庭に対しても、情報の提供や相談をおこなっています。子育て、生活相談をはじめ、必要な制度の活用方法などを情報提供しているので、シングルファーザーも上手に利用しましょう。

●全国の支援センター一覧が見られるサイト
http://www.mhlw.go.jp/stf/seisakunitsuite/bunya/0000062967.html

先輩シングルマザーから

『シングルマザー再就職講座』を受講しました！

母子家庭になっていちばん大変と思ったことは就職活動です。離婚前に専業主婦だったので、仕事をどう探せばいいかわかりませんでした。そんなときに県主催の『シングルマザー再就職講座』を受け、いろんな意味で勉強になりました。

就職に関する公共支援情報

高等職業訓練促進給付金

資格を取得するための修業期間に月額10万円の援助！

就職に役立つ資格を手に入れるため、安心して学ぶための支援制度

母子家庭の就業の促進に効果が高い看護師や介護福祉士などの資格取得。国もそれを推進しています。しかし、資格を取得するために必要な昼間の授業の受講は、一家の大黒柱として生活を支える母親には難しいのが現状です。

こうした問題への支援の必要から、受講期間中の生活の不安を解消し、安定した修業環境を提供するために、２００３年度から高等職業訓練促進給付金事業がスタートしました。

資格取得のために2年以上修業する場合に、修業の全期間に対して、課税世帯に月額７万５百円、非課税世帯に月額10万円の手当が支給されます。

指定対象になる資格例

（職種）

看護師・介護福祉士・保育士・理学療法士・作業療法士・その他、都道府県等の長が地域の実情に応じて定める資格

2013年度実施報告によると、47都道府県すべてがすでに実施。指定都市は20ヶ所すべて、中核市も42ヶ所中すべてで実施されている。

国が3/4、地方公共団体が1/4、予算を負担。

実施主体は、地方公共団体であるため、地域の実情に応じて、該当する資格が定められている。

こんな場合に支給される

- 収入が児童扶養手当支給水準の母子世帯
- 養成機関において2年以上のカリキュラムを修業し、対象資格の取得が見込まれること
- 仕事または育児と修業の両立が困難であること

申請の手順と支給について

①母子自立支援員に相談します。
②相談後、「支給申請書」を提出します。
※申請のあった日の属する月以降が対象
③支給が決定されると「支給決定通知書」が届きます。
④通知が届いたら「請求書」を提出します。
⑤請求に基づいて、所定の金融機関に振り込まれます。

注意
・修業の途中で、母子家庭の母でなくなったり、修業をやめてしまった場合などは、「資格喪失届」を提出する必要があります。
・修業後の就業状況について報告を求められる場合があります。
・２０１３年４月から父子家庭も対象になっています。

自立支援教育訓練給付金

母子家庭の母の主体的な能力開発を支援するための制度

雇用保険の教育給付金の受給資格を有していない母子家庭の母が教育訓練講座を受講し、修了した場合、経費の60％を支給する制度です。

こんな人に支給されます

・児童扶養手当支給水準の母子家庭
・雇用保険法による教育訓練給付の受給資格を有していない人
・教育訓練を受けることが適職につくために必要である人

こんな講座が対象になります

・雇用保険制度の教育訓練給付の指定教育訓練講座
・就業に結びつく可能性の高い講座（規定あり）
・その他、前記に準じ、都道府県などの長が地域の実情に応じて対象とする講座

このくらいの支給額です

対象講座（1講座に限る）に要した受講料の60％。ただし、当該額が20万を超える場合は20万とし、1万2000円以下の場合は給付金の支給はありません。

支給時期

対象講座の受講終了後

申請する窓口

福祉事務所（実施していない地域もあります。利用する際は、まず各福祉事務所に確認してください）

申請方法（事前相談と対象講座指定）

対象講座の受講の申し込みよりまえに、事前相談と申請が必要です。福祉事務所などで母子自立支援員にご相談ください。

対象講座指定の申請に必要な書類

(1)対象講座指定申請書
(2)母（本人）と扶養している児童の戸籍謄本、または抄本
(3)世帯全員の住民票
(4)児童扶養手当証書の写し、または所得証明書
(5)受講しようとする講座の資料ほか

支給申請について

対象講座の終了日の翌日から起算して、1か月以内に支給申請をおこないます。

※事前相談では書類が不要なこともあります。地域によって異なる場合があるので相談で確認しましょう。

支給申請に必要な書類（講座修了後）

(1) 教育訓練給付金支給申請書
(2) 対象講座指定審査結果通知書
(3) 母（本人）と扶養している児童の戸籍謄本または抄本
(4) 世帯全員の住民票
(5) 児童扶養手当証書の写し、または所得証明書
(6) 対象講座の終了証明書
(7) 受講料の領収書他

手続きの流れ

事前相談（母子相談員）
↓
対象講座指定の申請（福祉事務所）
↓
審査
対象講座の指定や給付金の指定にあたっては審査があります。審査の結果、支給されない場合もあります。
↓
対象講座の受講申し込み（各講座実施機関）
↓
講座の受講→修了
↓
支給申請（福祉事務所）
↓
給付金の支給

番外編！

知っておきたい その他の就労支援制度

国は雇用や就労を促すため、事業主に向けた助成もおこなっています。

ハローワークや職業紹介所を通して仕事をする場合、相談窓口でシングルマザーであることを伝えることをおすすめします。企業にとっては採用メリットになります。ただし、助成金目当てで、一定期間で採用を取り消すなどの悪質な企業もあるので、就労先の見極めは慎重に！

■特定求職者雇用開発助成金

シングルマザーを「継続して雇用する労働者」として雇い入れる事業主に対し、助成金を支給しています。

大企業で労働者1人あたり50万円、中小企業で60万円が支給されます。

■キャリアアップ助成金（正社員化コース）

非正規雇用労働者を正社員化、または新たに正社員として雇った事業主に対し、助成金を支給するもの。たとえば、中小企業で有期契約労働者を正社員化すると、1人あたり57万円が支給され、対象がシングルマザーの場合はさらに9万5000円が加算されます。

※2013年4月から父子家庭も対象になっています。

就職に関する公共支援情報

意外と便利 ハローワーク 活用法

意外と知られていないハローワークの活用のしかたを紹介。仕事を探すとき、知っていると便利なノウハウあり！

最新の求人情報を入手して専門家に相談しながら仕事探しが可能

情報社会の現代では、インターネットや求人誌など求人情報を提供してくれる、多くのさまざまな媒体がありますが、昔から設置されているハローワークも職探しに欠かせない存在です。というのも、ハローワークにストックされている情報は、給与や待遇面など、最低の基準をクリアーしたものばかり。しかも、つねに最新の情報をリアルタイムに検索できるからです。

求人情報のなかから就職したい企業を決めたなら、その仕事内容や待遇を、日頃から求人情報に接している仕事探しのプロである職員に確認できるのも魅力。職員の人には企業とのファースト・コンタクトとなる面接日の設定もしてもらうこともできます。この2点は、インターネットや雑誌からは得られないハローワークならではの大きなメリットといえます。

とくにシングルマザーの場合は、就職活動を有利に進めるために助成金制度を活用することもできます。現在は、「特定就職困難者雇用開発助成金」と「試行雇用奨励金（トライアル雇用）」の2種類です。求職申し込みの際に、窓口で自分がシングルマザーであることを申し出ることが必要です。

また、シングルマザーにたいしては、個人の経験や事情をていねいに聴き取り、仕事の選定や企業へのアプローチなど、仕事探しの手伝いをしてもらえます。仕事に就いたあとも、求人条件などに不安があった場合に相談することができます。

さまざまなハローワークを使いこなすのが仕事探しへの近道

ところで、一口にハローワークと言っても、その内容や目的とする機能はさまざまです。

近年は、ハローワークも利便性を考え、拠点のハローワークに数か所の出先施設を設けています。こちらでは、職業相談・紹介を中心におこなっていますので、個別相談やセミナーの利用については、まえもって各施設に確認してから向かうことをおすすめします。

忘れてならないのは、「マザーズハローワーク」です。この施設は、子どもをもつ人がスムーズに会社に勤められるよう支援している施設で、子連れで訪れても大丈夫なようにキッズコーナーなどを設置。託児つきの求人や、子育て中の方に理解のある求人などの情報を紹介しています。マザーズハローワークならではのサービスメニューもありますので、ご利用される施設に問い合わせてみてください。

また、ハローワークのなかに設置されている「マザーズコーナー」でも、同様のサービスが受けられます。

〝マザー〟とネーミングされていますが、シングルファーザーでも利用が可能。子育てと仕事を両立させなければならない人は、足を運んでみるといいでしょう。

マザーズハローワーク（マザーズコーナー）については、次ページでくわしく紹介します。

経験談

求人情報の内容を本当に知ることができたハローワークの窓口相談

ハローワークの相談窓口を利用してみてよかったのは、求人情報を相談員の人が具体的に読み解いてくれたことです。

求人票のなかには、「パソコンができる人」とか「ワードやエクセルができる人」というような記載をよく見かけますが、その一文のなかにこめられた企業が求めているスキルは、同じではないことを教えてくれたのです。

たとえば、A社では専門的なパソコン知識をもち、かなり高度なスキルが求められていたのですが、B社では数字の打ち込みやワープロが打てるぐらいのキーボードスキルがあれば十分だと教えてくれました。

そのことがわかったおかげで、就職活動の枠が広がって、いまの会社に就職することができました。時間や手間はかかりますが、一度は相談員を利用してみることをおすすめします。

ハローワーク　インターネットサービス
http://www.hellowork.go.jp/

子育て中の仕事探しの強い味方

マザーズハローワーク

マザーズハローワーク、および全国のハローワークに設けられているマザーズコーナーは、子育てをしながら就職活動をする人のための就業支援機関です。取材させていただいた『マザーズハローワーク東京』を例にして、その機能を紹介しましょう。

マザーズハローワーク東京には、保育士が常駐するキッズコーナーを設置して、子連れでも相談しやすい環境を整えてあるだけでなく、託児所がある、子どもの発熱など急な休みにも対応ができるといった、仕事と子育ての両立がしやすい就業条件の求人も独自に受け付けています。そのため、再就職をするときの仕事探しには最適なスポットです。

また、通常の「就職相談サービス」に加えて、子どもの預け先の探し方からアドバイスが受けられる「マザーズ予約相談サービス」も利用できるのは、大きな魅力。完全予約制で、子育て支援専門のスタッフ・就職支援ナビゲーター（キャリアカウンセラー）に毎回50分間もマンツーマンで相談に乗ってもらうことができ、求人探しから就職までサポートしてもらえます。

マザーズハローワーク東京では、毎年約5000人もの人が相談に訪れ、約9割の人が3か月ぐらいのあいだに就職をしていくそうです。

また、セミナーの実施も見逃せません。ニーズに応じたセミナーを、無料で、しかも全回託児つきで受けられます。

こうした公的支援を利用しない手はありません。最寄りの窓口へぜひ一度足を運んでみてください。

利用者の希望職種と就職先（2013年4月～9月、マザーズハローワーク東京調べ）

●希望職種別新規求職者数

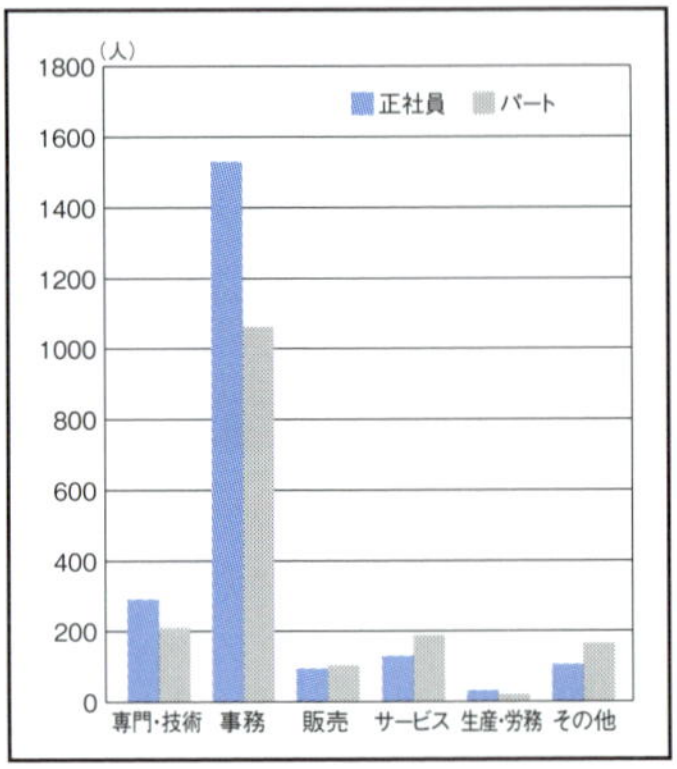

●職種別就職件数

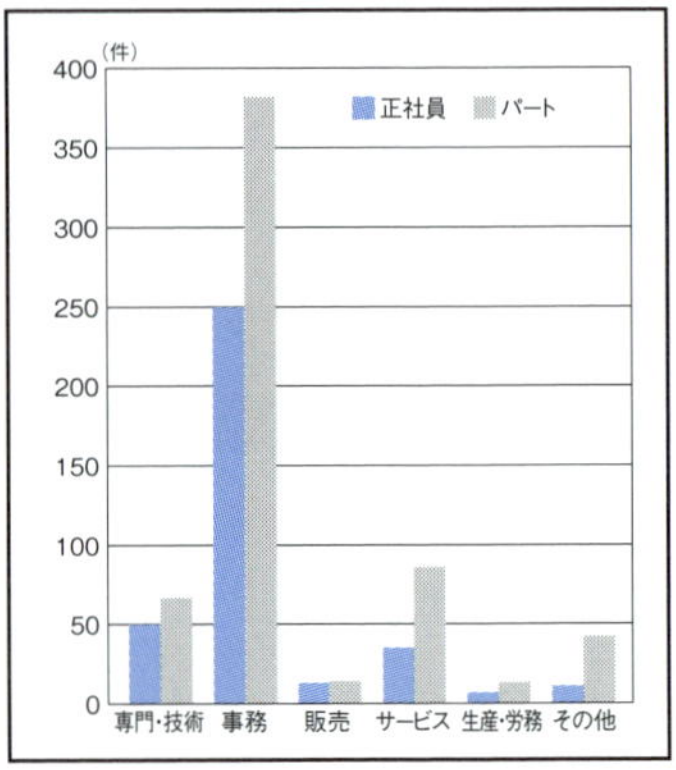

☞ 希望する職種は圧倒的に「事務」が多い（左）。理由は、土曜、日曜、祝日も休みで子どもとの時間がとれるため。また、「正社員」希望が多い。しかし、実際の就職先は「パート」が「正社員」よりも多くなる（右）。その背景には、ずっと専業主婦だった状態からいきなりフルタイム勤務になるのは不安なので、徐々に仕事をする生活に慣れていきたい、また、スキルがないため、とりあえずパートで就職をしてキャリアを育みたいという事情がある。正社員には権利が保障されているぶん、残業や休日出勤の義務も生じる。このあたりをどう考えるかが、就職するときの重要ポイントだ。

マザーズハローワークが開催するセミナーの一例「マザーズハローワーク東京」の場合

*再就職準備セミナー＝子育て中の人やこれから仕事と子育ての両立を希望している人を対象とした、再就職活動をはじめる際のノウハウを伝えるセミナー。

*ビジネスマナー＆メイクアップセミナー＝プロのフォトグラファーやメイクアップアーティストが、人事担当者が好感を抱く服装やメイク、証明写真を撮る際のテクニックを教えてくれる。ビジネスマナーの講義を交えながら、面接選考突破の秘訣も伝授。

*応募書類対策セミナー＝書類選考を突破するための効果的な応募書類の書き方を解説。履歴書を書く際の基本的な注意点から、志望動機の書き方、職務経歴書の作成方法までを教えてくれる。

*子育て中の方のためのパソコン講習＝全5回開催。ひとりが1台ずつパソコンを操作しながら、ワード・エクセルの基本操作を学べるセミナー。

求人票（パートタイム）

1　求人事業所名

事業所名：マルマルシヤクショ
●●市役所

所在地：〒123-4567
東京都●●市●●1-2-3
ホームページ［　］
Eメール［　］

就業場所：転勤の可能性あり
〒
*●●市内の小・中学校

2　仕事の内容等

職種：学校●●嘱託員（事務）

仕事の内容：
*●●市立小・中学校の学校事務全般
*パソコン操作ができる方（ワープロソフト・表計算ソフト初級程度）
*雇用契約更新あり
（勤務成績が良好な場合、年度更新あり）

雇用形態：パート労働者　学校●●嘱託員
雇用期間：雇用期間の定めあり　～平成27年3月31日　契約更新の可能性あり

学歴（履修科目）：不問
必要な経験等：*パソコン操作のできる方
必要な免許・資格：不問
年齢：不問

3　労働条件等

賃金（税込）：時間額（a＋b）　1,330円～　1,330円
a　基本給（時間換算額）　1,330円～　1,330円
b　定期的に支払われる手当
手当　円～　円
手当　円～　円
手当　円～　円
手当　円～　円
c　その他の手当等付記事項
*通勤手当は実費又は相当額支給

賃金形態：時間給　円～　円　その他の場合［　］
賃金締切日：末日　賃金支払日：毎月20日（翌月払い）
通勤手当：実費（上限なし）　マイカー通勤　不可［　］
昇給（実績）：なし
賞与（実績）：なし
加入保険等：雇用　労災　健康　厚生　退職金制度なし

就業時間：
(1) 08:15 ～ 16:00
(2) ～
(3) ～
又は　～　の間の　時間
就業時間に関する特記事項［　］
時間外 あり　月平均　時間　休憩時間　60分

休日等：休日　土日祝　週休二日制　毎　週
その他の場合［　］

求人条件特記事項

備考

4　会社の情報

従業員数：企業全体　2,000人　就業場所　2,000人（うち女性　650人）（うちパート　700人）
創業
資本金
労働組合　あり

事業内容：市町村機関で本来の立法事務及び地方行政事務を行う。
会社の特長

定年制あり　一律65歳　勤務延長なし　再雇用なし
入居可能住宅　なし［　］
利用可能託児施設　なし［　］
育児休業取得実績　あり　介護休業取得実績　あり　看護休暇取得実績　あり
週所定労働日数　週　5日　程度　就業規則　あり

5　選考等

採用人数：通勤　1人
選考方法：面接　書類選考［*書類選考後に面接］
応募書類：ハローワーク紹介状［教育委員会指定用紙］選考後は返却
選考結果：4日後　通知方法　郵送　電話
試用期間：なし

市役所からの求人の例。ほかに、財団や学校、保育所などからの求人もある。時給が意外に高く、残業もほとんどないものが多い。

注目！

年明け早々の求人にチャンス！行政や公的機関のパート採用!!

年明けから3月までのあいだには、行政や財団法人、保育所など公的機関のパートタイム求人が出ます。雇い主が公的機関であるだけに、時給がある程度高く、雇用保険や労災保険などもしっかりついているのがポイント。これまで確固としたキャリアのない人もこうした公的機関で働くことで、今後、正社員応募をしたときの信用につながります。しばらく仕事から離れていた場合は、まずはこうした仕事に就いてひとり親家庭の生活形態に慣れてから、正社員就職をめざすというのもひとつの方法です。行政の生活支援制度と併用すれば、お子さんとの生活を無理なくはじめることができます。

全国のマザーズハローワーク・マザーズコーナー一覧

※マザーズコーナーは主要都市のみ（2017年11月現在）

自治体名	名　称	住　所	電話番号
北海道	マザーズハローワーク札幌	札幌市中央区北四条西5丁目 三井生命札幌共同ビル5階	011-233-0301
青森県	ハローワーク青森マザーズコーナー	青森市中央2-10-10	017-732-6600
岩手県	ハローワーク盛岡マザーズコーナー	盛岡市菜園1-12-18 盛岡菜園センタービル2階	019-907-0203
宮城県	マザーズハローワーク青葉	仙台市青葉区中央2-11-1 オルタス仙台ビル4階	022-266-8604
秋田県	ハローワーク秋田マザーズコーナー	秋田市中通2-3-8 アトリオンビル3階	018-836-9001
山形県	マザーズジョブサポート山形	山形市双葉町1-2-3 山形テルサ1階	023-665-5915
福島県	ハローワーク郡山マザーズコーナー	郡山市島2-402	024-927-4626
茨城県	ハローワーク水戸マザーズコーナー	水戸市水府町1573-1	029-231-2050
栃木県	ハローワーク宇都宮マザーズコーナー	宇都宮市駅前通り1-3-1 KDX宇都宮ビル2階	028-623-8609
群馬県	ハローワーク前橋マザーズコーナー	前橋市天川大島町130-1	027-290-2111
埼玉県	マザーズハローワーク大宮	さいたま市大宮区桜木町1-9-4 エクセレント大宮ビル4階	048-856-9500
千葉県	マザーズハローワークちば	千葉市中央区新町3-13 千葉TNビル1階	043-238-8100
東京都	マザーズハローワーク東京	渋谷区渋谷1-13-7 ヒューリック渋谷ビル3階	03-3409-8609
神奈川県	マザーズハローワーク横浜	横浜市西区北幸1-11-15 横浜STビル16階	045-410-0338
新潟県	マザーズハローワーク新潟	新潟市中央区弁天2-2-18 新潟KSビル1階	025-240-4510
富山県	ハローワーク富山マザーズコーナー	富山市湊入船町6-7 富山県民共生センター2階	076-461-8617
石川県	マザーズハローワーク金沢	金沢市石引4-17-1 石川県本多の森庁舎1階	076-261-0026
福井県	ハローワーク福井マザーズコーナー	福井市開発1-121-1	0776-52-8157
山梨県	ハローワーク甲府マザーズコーナー	甲府市住吉1-17-5	055-232-6060
長野県	ハローワーク長野マザーズコーナー	長野市新田町1485-1 長野市もんぜんぷら座4階	026-228-0333
岐阜県	ハローワーク岐阜マザーズコーナー	岐阜市五坪町1-9-1 岐阜労働総合庁舎1階	058-249-2755
静岡県	マザーズハローワーク静岡	静岡市葵区追手町5-4 アーバンネット静岡追手町ビル1階	054-275-3010
愛知県	あいちマザーズハローワーク	名古屋市中村区名駅南2-14-19 住友生命名古屋ビル23階	052-581-0821
三重県	ハローワーク四日市マザーズコーナー	四日市市本町9-8 本町プラザ5階	059-359-1710
滋賀県	滋賀マザーズジョブステーション	近江八幡市鷹飼町80-4	0748-36-1831
京都府	マザーズハローワーク烏丸御池	京都市中京区烏丸御池上ル北西角 明治安田生命京都ビル1階	075-222-8609
大阪府	大阪マザーズハローワーク	大阪市中央区難波2-2-3 御堂筋グランドビル4階	06-7653-1098
	堺マザーズハローワーク	堺市堺区三国ヶ丘御幸通59 高島屋堺店9階	072-340-0964
兵庫県	マザーズハローワーク三宮	神戸市中央区小野柄通7-1-1 日本生命三宮駅前ビル1階	078-231-8603
奈良県	ハローワーク奈良マザーズコーナー	奈良市法蓮町387 奈良第三地方合同庁舎1階	0742-36-8614
和歌山県	ハローワーク和歌山マザーズコーナー	和歌山市美園町5-4-7	073-424-9771
鳥取県	ハローワーク鳥取マザーズコーナー	鳥取市富安2-89	0857-23-2021
島根県	ハローワーク松江マザーズコーナー	松江市朝日町478-18 松江テルサ3階	0852-55-4721
岡山県	おかやまマザーズハローワーク	岡山市本町6-36 第一セントラルビル7階	086-222-2905
広島県	マザーズハローワーク広島	広島市中区立町1-20 NREG広島立町ビル3階	082-542-8609
山口県	ハローワーク下関マザーズコーナー	下関市貴船町3-4-1	083-222-4031
徳島県	ハローワーク徳島マザーズコーナー	徳島市寺島本町西1-61 徳島駅クレメントプラザ5階	088-611-1211
香川県	ハローワーク丸亀マザーズコーナー	丸亀市中府町1-6-36	0877-21-8609
愛媛県	ハローワーク松山マザーズサロン	松山市湊町3-4-6 松山銀天街ショッピングビルGET！ 4階	089-913-7410
高知県	ハローワーク高知マザーズコーナー	高知市大津乙2536-6 ハローワーク高知2階	088-878-5326
福岡県	マザーズハローワーク天神	福岡市中央区天神1-4-2 エルガーラ12階	092-725-8609
	マザーズハローワーク北九州	北九州市小倉北区浅野3-8-1 AIMビル8階	093-522-8609
佐賀県	ハローワーク佐賀マザーズコーナー	佐賀市白山2丁目1-15	0952-41-4700
長崎県	ハローワーク長崎マザーズコーナー	長崎市築町3-18 メルカつきまち3階	095-829-5254
熊本県	マザーズハローワーク熊本	熊本市水道町8-6 朝日生命熊本ビル1階	096-322-8010
大分県	ハローワーク大分マザーズコーナー	大分市高砂町2-50 OASISひろば21地下1階	097-533-6969
宮崎県	ハローワーク宮崎マザーズコーナー	宮崎市大塚台西1丁目-39 ハローワークプラザ宮崎内	0985-62-4141
鹿児島県	ハローワーク鹿児島マザーズコーナー	鹿児島市東千石町1-38 鹿児島商工会議所ビル（アイムビル）6階	099-223-2821
沖縄県	ハローワーク那覇マザーズコーナー	那覇市泉崎1-15-10 1階	098-860-9530

先輩シングルマザーに聞きました

あなたの節約術を教えてください

●仕事に出ている日は、お昼ごはんなどをがまんして、そのぶん貯める。

●出勤時の電車などは家に近い駅ではなく、ひとつ先の駅まで歩く！　自分の健康にも役立ちます。

●仕事帰り、スーパーが割引になっている時間帯に食材の買いものをする。

●生活の細かいことすべてが節約。メリハリをつけ、心の充足を優先させれば浪費しない。

●食費・娯楽費を懸賞などでコツコツ貯めています。

●毎月、使う金額を日割りにして31枚の封筒に分ける。

●自分でつくれるものはつくる。

●水道光熱費の節約は家族でできるだけ同じ行動をすることが大切（バラバラの部屋にいない、同じタイミングでお風呂に入るなど）。

●買いものにいくときはひと呼吸して、必要なもの以外買わない（衝動買い防止）。

●保険と通信費の見直しをしました。

●必要なものと不必要なものをしっかり区別する。

●ひたすら、欲しい服、欲しい化粧品、欲しいものをがまん！

●冷蔵庫にある残りものでの自炊。

●安い米を買う、つくりおきレシピをつくる。

●徒歩や自転車での移動が可能であれば、なるべくそうする。

●車は買わない、女子会は月一回のみ、酒タバコなど嗜好品の禁止、ブランドものは売る、洋服は中古品かセール品かお下がりのみ。

●買いものは週に一度のまとめ買い。

●娯楽費は必要最低限しか使わない、使えない。

●安いスーパーを見つける、お昼用にお弁当をつくる、手づくりできるものは手づくりする。

●フリマアプリを利用しています。欲しいものはリユースしてもらったり価格を調べたりします。

●生協の宅配を使う。割高なようだけど、店だと値引き安売りでよけいなものを買ってムダにするから。

●家庭菜園しています。

●使っていいぶんしか財布に入れない。

●光熱費の節約に心がけています。

●バスや電車などの交通費を節約して、自転車を利用。

●家計簿をつけてやりくりの目標を立てる。ストレスがたまると節約ができなくなりがちなので、リフレッシュをする。

●節水、食材をなるべくもらう工夫、貯金は給料日に子どもの口座へ預け入れする。

●子どものおもちゃなどは、できるだけ祖父母に甘えて買ってもらうようにしています。

離婚後の収入

離婚前から考えて準備してほしい 仕事のこと

シングルマザーの悩みの第1位は経済的な問題で、おもに仕事に関するものです。シングルマザーの就業率は80・6%と高いのに正規雇用率が43%と低く、多くのシングルマザーはパートやアルバイトで、将来に不安を抱えながら働いているのが現状です。人によってはダブルワークやトリプルワークで生活を支えている人もいます。

とくに専業主婦からの離婚は厳しく、思うような再就職先につながりません。お子さんが小さいと、保育園の送り迎えの時間や病児保育の問題があって、働ける時間に制限があり、選択肢をせまくしています。

私のもとには、離婚前にカウンセリングに訪れる女性が多くいます。私はDV離婚をのぞくご相談の場合には、まずは焦らずに離婚後の仕事（収入）のことをしっかり考えて、計画的に離婚しましょうとアドバイスしています。相談者さんのなかには、夫に離婚を切りだすまえから、着々と準備をして離婚に臨んだ人たちも何人かいます。離婚後に資格を生かして仕事をするために通信教育で保育士の資格を取得した人、病院でパートで働いていたので、スキルアップのために医療事務を学んでから離婚をした人もいます。

夫の収入があるうちに、通信教育の費用や学校に通う時間を確保して準備をするのは堅実だと思います。この本を離婚準備のために読みましたという読者の方も多いようなので、これから離婚を考えている人への私からのアドバイスです。

また、すでにシングルマザーの方で転職をめざしている方にも、資格取得をおすすめします。高等職業訓練促進給付金（P43）や自立支援教育訓練給付金（P44）のほかにも、一般対象もふくめると、いくつかの国の就労支援があります。ハロワークのキャリアカウンセリングなどを利用して、上手にスキルアップしてほしいと思います。（新川てるえ）

2
章

シングルマザーの家計簿

家計簿に着目!　収支のバランスを
ファイナンシャル・プランナーが
徹底解析します

ご協力いただいたFPの豊田眞弓さん、保険ジャーナリストの森田直子さんは、ご自身もシングルマザーです。ひとり親家庭の現状にあった家計のやりくりや生命保険の見直し術をアドバイスしてくれました。教育費や年金の情報もあわせて、将来をイメージしながら計画的に考えましょう。

サンプル

家計簿

富山真美さん（仮名）
本人／36歳（アルバイト）
子ども／10歳（小5）♂、7歳（小2）♀
シングル歴／3年（2014年から）
住居／3DK（公営住宅／鹿児島県）
現在の貯蓄額／50万円

子ども2人が小学生

毎月の収支

1 収入

給与（手取り額）	7万円
養育費	4万円
児童扶養手当	4万7000円
児童手当	2万円
その他（特別児童扶養手当）	5万1000円
（障害児福祉手当）	1万4500円
収入合計①	**24万2500円**

2 支出

住居費	貸料1万400円／ローン0円
車のローン	1万6000円
駐車場代	0円
その他の車関係費（ガソリン代・税金など）	2万円
住宅・車ローン以外のローン返済	0円
食費	3万円
日用雑貨	2万円
水道・光熱費	1万9000円
電話代	0円
携帯電話代	8600円
インターネット接続料などの通信費	9180円
新聞・図書費	0円
レジャー費	3万円
こづかい	本人0円／子ども0円
子ども費（保育・教育費・習い事など）	1万円
支出合計②	**17万3180円**

3 保険料・貯蓄

保険料	1万8420円（終身保険3人分）
貯蓄	教育費以外1万4500円／教育費0円
保険料・貯蓄合計③	**3万2920円**

4 繰り越し金

①－（②＋③）＝3万6400円

Q やりくりで工夫していることは？

・買いものはセールをフル活用。食材や生活雑貨はもちろん、洋服もセールのときにしか買いません。
・化粧品は100均商品ですませています。
・知り合いからおさがりがあるので、子ども服はほとんど買いません。
・外食はできるだけしないようにしています。

Q お子さんの進路は考えていますか？

長男には高校卒業後、働きながら学べる海上保安官や自衛官になってほしいと考えています。心身ともに鍛えられ、日々、責任をもって力強く生きてほしいと思うからです。長女は聴覚障害があり、進路の選択肢が少ないのでは、と不安ですが、本人はファッションデザイナーになりたいという夢をもっていますので、応援したいと思っています。

10年後のやりくりの不安を解決したい

まえもって離婚資金を貯金したり、家庭の資産を計算し、財産分与を考えて弁護士に相談したりして、計画的に離婚しました。養育費もちゃんと確保できましたが、離婚時に6万円だった養育費が最近、元夫の経済的事情により4万円に減額されたのがきついです。

住まいについては、離婚後9か月は元夫が単身赴任だったため、もとの家に住まわせてもらい、そのあいだに公営住宅に応募して引っ越しました。家賃が安いので助かっています。

10年後に養育費と児童扶養手当がなくなることを考えると不安です。現在は印刷会社でのアルバイトなので、いまの職場でスキルアップし、昇給することをめざしてはいますが、アドバイスいただけたらと思います。

ファイナンシャル・プランナーのアドバイス

家計管理、よくがんばってますね！

家計を拝見すると、車のローンや車関係費などもかかってはいるものの、公営住宅で家賃が1万円と安く、食費も3万円と抑えられています。養育費が月6万円から4万円に下がったとはいえ、毎月3万円以上残せる家計はすばらしいですね。

貯蓄残高も50万円と、まず最初に貯めるべき「生活予備費」（月生活費の3～6か月分の貯蓄）分はなんとかクリアしていますね。保険料が高めなのは、ご家族3人とも保障と貯蓄を兼ねた終身保険に入っているためですが、現在負担にはなっていないようですから、これはこのまま続けましょう。

将来の不安には貯蓄とキャリアアップで！

10年後に養育費や児童扶養手当が終わる時期がきますが、それが不安とのこと。そうであれば、いまから少しでも貯蓄を増やしておきたいもの。そのためには、節約をする、収入を増やす、投資力を磨くことです。

節約ポイントとしては、日用雑貨2万円、水道光熱費1・9万円、レジャー費3万円のあたりがもう少し削れそうに思います。削ったぶんは、投資の勉強も兼ねて月5000円でも「つみたてＮＩＳＡ」（※）で投資信託の積立をはじめてみてはいかがでしょう？

働き方も、10年後は46歳で、急に収入を上げるのを考えるのは難しい年代です。チャンスがあれば、手当が減額しても、正社員の道を選択するのも一法です。

※「つみたてNISA」は、専用口座で投資信託の積立（年40万円まで）をした場合に、本来は配当や利益に20%（＋復興増税）課税されるところ、非課税で済む仕組み。2018年1月にスタート。

サンプル家計簿

子どもが中学生と小学生

森田優子さん（仮名）
本人／42歳（パート）
子ども／13歳（中2）♀、12歳（小6）♂
シングル歴／3年（2014年から）
住居／3DK（公営住宅／東京都）
現在の貯蓄額／10万円

毎月の収支

1 収入

給与（手取り額）	6万円
養育費	4万円
児童扶養手当	5万2280円
児童手当	2万円
収入合計①	**17万2280円**

2 支出

住居費	貸料7000円／ローン0円
車のローン	0円
駐車場代	1万5000円
その他の車関係費（ガソリン代・税金など）	1万3000円
住宅・車ローン以外のローン返済	0円
食費	4万円
日用雑貨	1万円
水道・光熱費	1万5000円
電話代	176円
携帯電話代	1万6753円
インターネット接続料などの通信費	8006円
新聞・図書費	2300円
レジャー費	2万円
こづかい	本人0円／子ども2500円
子ども費（保育・教育費・習い事など）	2万3000円（歯科矯正費用など）
雑費	5000円
その他	1万4500円（弁護士費用など）
支出合計②	**19万2235円**

3 保険料・貯蓄

共済掛金　1000円（子ども2人のケガ入院などの補償）
貯蓄　教育費以外0円／教育費0円

保険料・貯蓄合計③ 1000円

4 繰り越し金

①−（②+③）＝−2万955円

Q やりくりで工夫していることは?

・買いものは、ポイントがたまる近くのスーパーやドラッグストアでしています。どんなものでも特売日をねらい、個数限定のたまごや牛乳は、子どもたちにも手伝ってもらい、人数分、買ってきたりします。
・電球は、すべてLEDに変えました。
・お友だちや知人がときどき、子どもに必要なものを送ってくれます。食品などの物資を支援してくれる団体もあり、たまに活用しています。
・薬は、病院へ行ってもらうようにしています（医療費が無料）。

Q お子さんの進路は考えていますか?

専門学校や大学など、子どもたちに合った学校へ行ってくれたら本望です。できれば、上の子どもが高校に入るまでには収入をアップさせて、１人につき１００万円は貯めたいです。

どうしたら貯蓄を増やせますか？

夫のＤＶによる離婚だったため、何も持たず、慰謝料などもなく、まったくのゼロからのスタートでした。離婚から3年たったいま、やっと生活が落ち着いた感じですが、アルバイト収入で家計は厳しく、貯蓄がマイナスになっています。

これから下の子が中学に進学するにあたり、支度金がまとまって必要になるのと、子どもたちが行きたがっているディズニーランドやＵＳＪに連れていってあげたいので、貯金したいと思っています。

また、私自身が生命保険に加入できておらず、何かあったときに保障がないのも、とても心配です。

現在は将来を考えて、職業訓練校に通いはじめました。ウェブ制作の勉強をしています。

ファイナンシャル・プランナーのアドバイス

思いきって車を手放しては？

お子さんの歯科矯正費用もかかっているせいか、現在、家計が赤字のようですね。一方で、お子さん2人には専門学校か大学へ進学してほしいと考えていて、「1人につき１００万円貯めたい」とも書かれています。児童手当だけでも貯蓄して、教育費として残しておかないと、１００万円は急には貯められない額です。なんとか家計を黒字化したうえで、早急に子ども1人あたり月５０００円ずつでも教育費用として積立できる家計に切りかえたいですね。

家計簿を拝見すると、家賃は安くすんでいるのですが、ケータイ代やレジャー費がやや高めで、車の費用も重いです。都内にお住まいですが、車は必需品でしょうか？　なくてもどうにかなるようであれば、思いきって手放しては？　何かを切りつめないと、赤字で貯蓄できない状況は変わりません。職業訓練校でスキルアップされているとのこと、児童扶養手当が減らされても、収入アップや正社員化を視野に入れてがんばってください。

保障なしはリスクです

現在、お子さんだけ傷害共済に加入しているものの、ママは何も入っていないようですね。本来であれば一家の大黒柱ですから、入院日額は５０００～1万円、死亡保障はお子さん2人ですから１０００～２０００万円はつけたいところです。余裕のないいまは小さくてもいいので、共済などで入院保障と死亡保障をカバーしましょう。

田中亮介さん（仮名）
本人／43歳（自治体の非常勤職員）
子ども／3歳♀
シングル歴／4年（2013年から）
住居／3LDK（実家／埼玉県）
現在の貯蓄額／約300万円

サンプル 家計簿

子どもが幼児で、要介護の親と同居

毎月の収支

① 収入

給与（手取り額）	15万6398円
養育費	0円
児童扶養手当	4万2330円
児童手当	1万円
収入合計①	**20万8728円**

② 支出

住居費	貸料2万8000円／ローン0円
車のローン	0円
駐車場代	9000円
その他の車関係費（ガソリン代・税金など）	2330円
住宅・車ローン以外のローン返済	0円
食費	3万円
日用雑貨	0円
水道・光熱費	0円
電話代	0円
携帯電話代	0円
インターネット接続料などの通信費	1万円（スマホ代ふくむ）
新聞・図書費	0円
レジャー費	5000円
こづかい	本人3万779円（子どもと遊ぶ費用ふくむ）／子ども0円
子ども費（保育・教育費・習い事など）	2,800円
雑費	0円
その他（両親の扶養費用）	4万円
支出合計②	**15万7909円**

③ 保険料・貯蓄

保険料	1万5819円
貯蓄	教育費以外3万円（個人型確定拠出年金5000円、残りは社会福祉士資格取得費用の準備）／教育費5000円
保険料・貯蓄合計③	**5万819円**

④ 繰り越し金

①ー（②+③）＝0円

Q やりくりで工夫していることは？

・必要なもの以外は買わない努力をしています。たとえば衣類やオモチャは極力、買わないです。娯楽は趣味と兼ねてやるようにしています。
・遊具のある公園にお弁当持参で遊びにいったりして、お金のかからない遊びを心がけています。
・飲み会などは本当にまれで、家で缶酎ハイ１本でガマンです。

Q お子さんの進路は考えていますか？

高校卒業後、就職。公立高校入学をめざしてほしいです。学資保険はすでに２４０万円を支払い済みで、月５０００の積立預金は現在60万円になっています。小・中・高校入学の資金は、行政の父子福祉資金貸付制度を利用するつもりです。

老後のプランをつくりたい

父子家庭になり、実家に戻りました。両親と娘との４人暮らしです。実家の家のローンが毎月７万５千円ほどなので、支払いにあててもらうために、両親に家賃を払っています。

両親の年金受給額は父＝老齢基礎年金６万１２００円。母＝老齢基礎・厚生年金３万６３８３円です。母はパートで働いていますが、父は脳血管性の認知症で要介護状態です。住宅ローンは父が亡くなると完済になるので、家は娘が家庭をもったとき、相続で渡すつもりです。私は、独り身でサービスつき高齢者住宅あたりで暮らせたら。働けるうちはせっせと働き、能力低下に応じて暮らしを計画していきたいです。年金の受給見込みをインターネットで調べると、11万円くらいでした。終活までのプランを立てたいです。

ファイナンシャル・プランナーのアドバイス

介護しながらシングルファーザー、よくやりくりされています

ご実家でお父さまの介護をしながらのシングルファーザー生活。しかもお子さんはまだ3歳。ご実家に家賃を払うほか、親御さんの扶養分として４万円支出しているのは頭が下がります。

お子さんの進路は高校で就職とありますが、一方では教育資金として学資保険２４０万円（払い済み）＋月５０００円の積立をされていて、おそらく「進学したい」といったときにサポートをする準備もされているのでしょう。

また、ご自身の老後のための個人型確定拠出年金「ｉＤｅＣｏ」（※）も月５０００円積立てているほか、キャリアアップのための社会福祉士の資格取得の費用も積立てているのはすばらしいことです。全体的にしっかり考えて家計管理されています。

老後資金はどうしますか？

将来、家は娘さんにあげて、ご自身はサ高住に住んで……という老後プランをたてているのですね。要介護期のことはお子さんが大きくなってから、相談して決めても遅くないのでは？

お子さんの自立まで、最低でも15年。そのとき58歳ですから、まだまだ働けます。社会福祉士の資格をとれば、収入も増えるのではないでしょうか。収入が上がれば、年金額も増えます。お子さんの受験が終わってから、積立金２万５０００円を「ｉＤｅＣｏ」の増額か「つみたてＮＩＳＡ」にすれば、老後・介護期の資金に回せます。あまった教育資金も同じです。

※「iDeCo」は、60歳まで引き出せない老後資金専用の積立投資。掛金が全額控除され、所得税や住民税を納めている人には節税効果が大きい。

教育費の準備のしかた

子どもの進学や将来の夢を実現するために、教育はとても重要。ここでは、教育にかかる費用について解説します。

教育費は増加の一途をたどっています

幼稚園の保育料助成や、高等学校の授業料無償化など、近年は子育て中の家庭への国の支援政策が進んできてはいますが、子育ての方針によって教育費は大きく異なります。

たとえば、幼稚園から大学まですべて公立の場合と私立の場合では、３倍以上も金額に差が出ます（左ページ・上データ参照）。どんな教育を子どもに受けさせたいか、子育ての方針を考えながら、子どもが生まれたら早めに教育資金の準備を進めましょう。

バブル経済崩壊以降、不況によって一般家庭の所得は下がっていますが、その一方で、教育費は増加の一途をたどっています。

文部科学省の「子供の学習費調査」によれば、公立幼稚園をのぞいた、いずれの学校（小学校、中学校、高等学校）においても学習費の総額は年々増加中。また、一般に幼児期より、中学、高校と子どもが大きくなるにしたがって教育費は高くなります。

教育にかかるお金は授業料だけではありません。学校教育費だけを見ても、クラブ活動などの教科外活動費や修学旅行代などがかかりますし（左ページ・下データ参照）、できるなら学習塾代などの学校外活動費も考慮しておく必要があります。

あきらめないため少しずつ貯蓄。支援制度を有効に活用

そうはいっても、シングルマザーの平均年収は、平成23年度の厚労省の調査では２２３万円。「食べていくのがやっとで教育費まで手が回らない」と思う人も多いでしょう。しかし、だからといってあきらめてしまうことはありません。少ない収入のなかでもできる範囲で貯蓄をして、公的支援制度や学校の情報を収集。それらを親子で吟味して有効活用することで、お子さんの将来の夢を叶えることは可能です。

62ページからは、その基本的なノウハウや、知っておきたい支援制度・学校情報を紹介します。お子さんの輝く未来に、少しでも役立てていただけたら幸いです。

●公立か私立かで教育費はこんなに違う

幼稚園から高校卒業までの15年間の学習費総額（平均額の合計。数値は四捨五入後のもの）

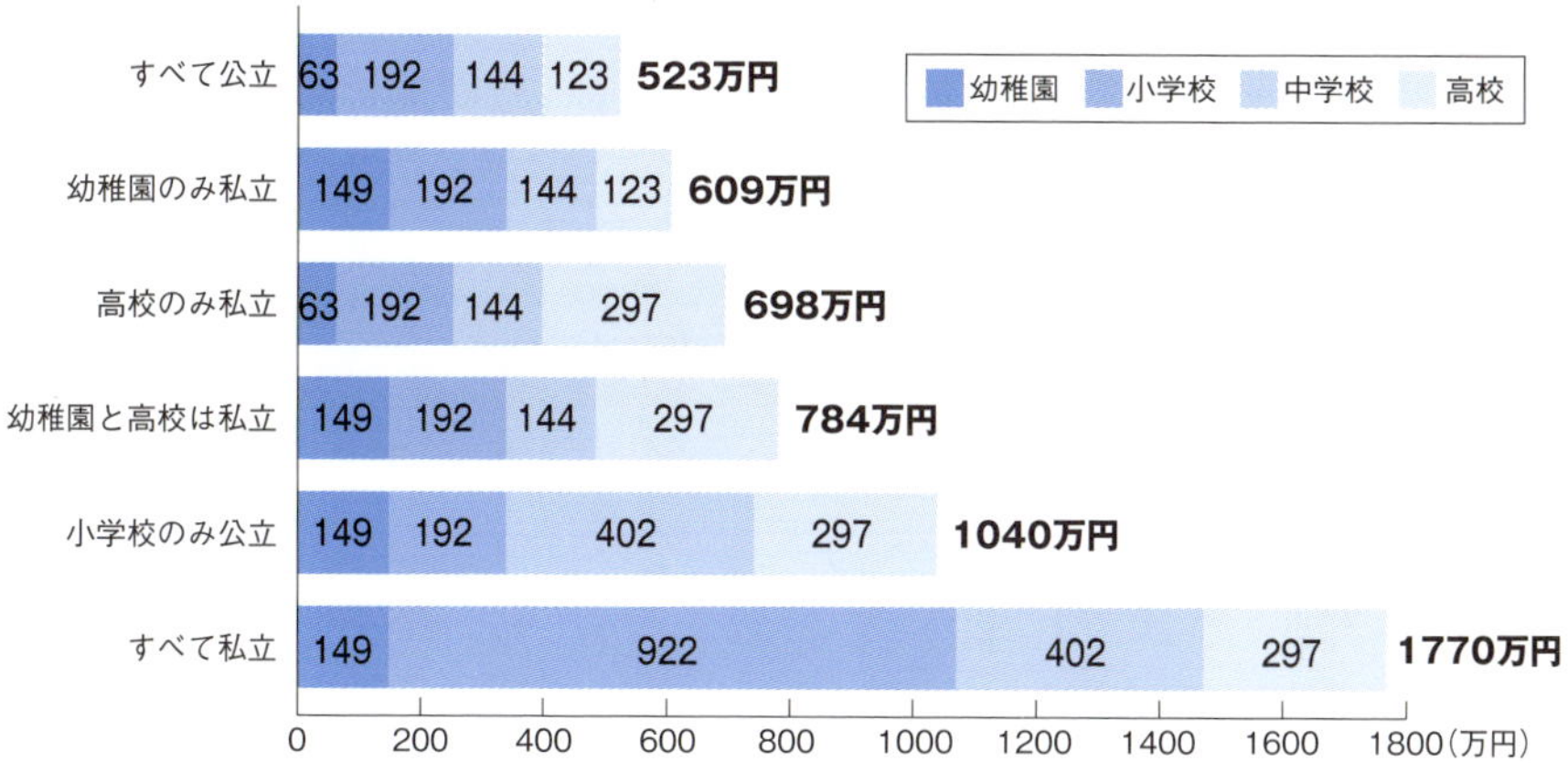

●教育にかかるお金は授業料だけじゃない

1年にかかる学校教育費の内訳
（公立・平均額）

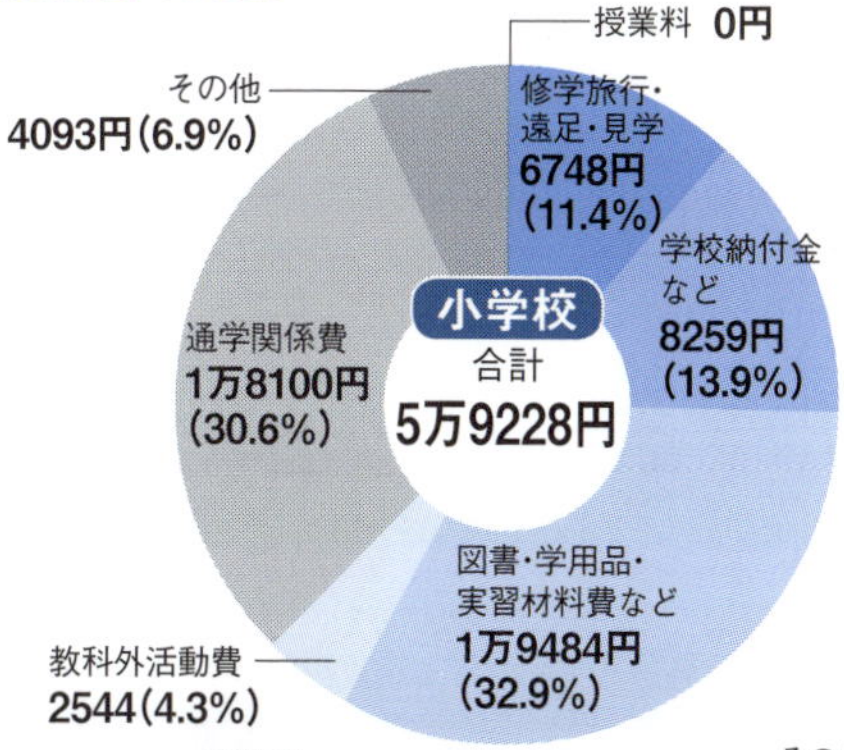

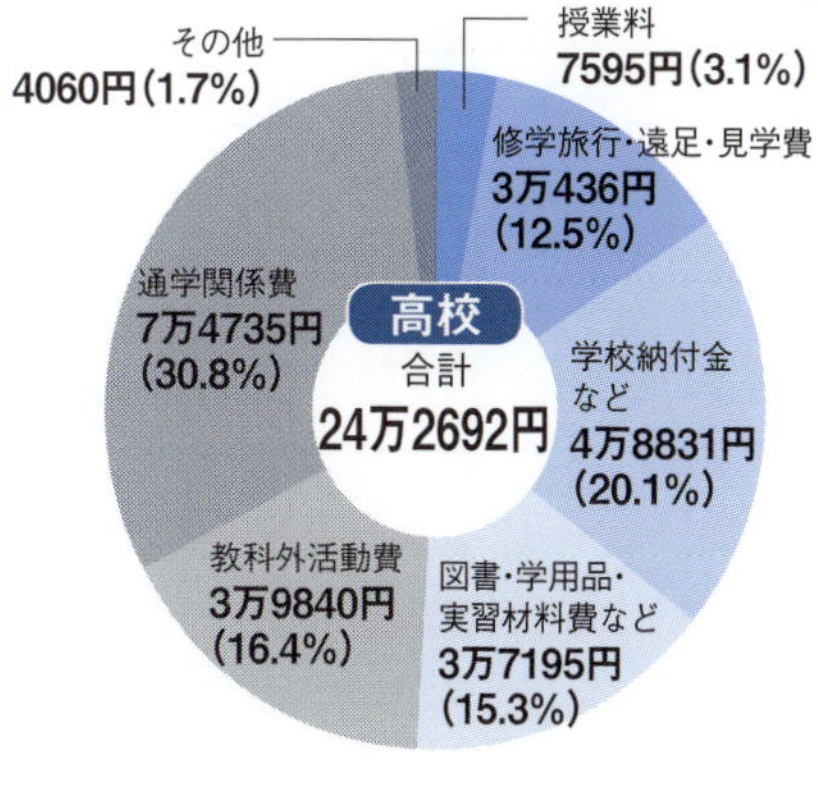

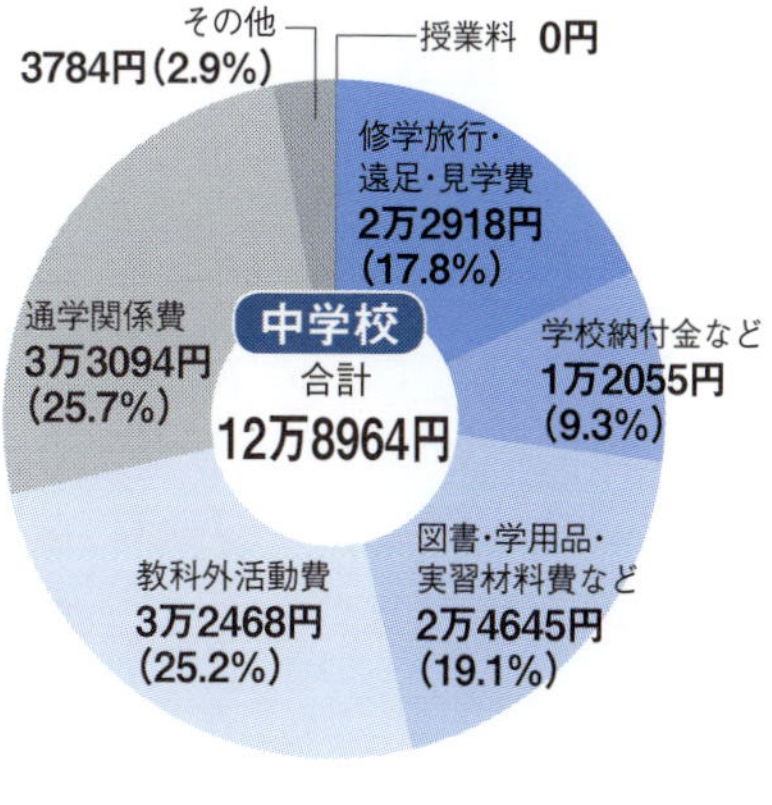

出典：ともに文科省、平成26年度「子供の学習費調査」より

義務教育終了時までに300～500万円貯蓄する

　教育費の準備として、まずめざしたいのが、義務教育の終了時までに300～500万円を貯めることです。そのためには、できたら児童手当を全額貯金しましょう。0～15歳まで貯蓄に回すと、これでおよそ200万円を貯めることができます。貯めるコツは、子ども名義の口座をつくっておき、親の口座に児童手当が振り込まれたら、すぐに子どもの口座へ振り替えること。こうすることで手当を使ってしまう危険を回避できますし、子どもの口座額が増えていくことで、貯める意欲が高まります。

　そのうえで、目標額に足りない部分は、こども保険や定期預金などで補います。ただし、こども保険への加入には年齢制限があるので要注意。また、子どもが低年齢のうちに加入したほうが戻り率も高いので、すでにお子さんの年齢が高い場合は、ほかの貯蓄方法（※1）を考える必要があります。

　また、定期預金に関しては、近年はネット銀行の利率が高い傾向にあります。インターネットで「定期預金・利率」と検索すると、その時点での利率ランキングがわかるので、預ける金額や期間などの諸条件を考慮しながら選びましょう。

　いずれの場合も、元本保証の金融商品で貯めるのが基本です。もし余裕があり、資産運用をしたい場合は、貯められるお金の3分の1にとどめましょう。教育資金の準備に悩んだ場合は、「日本FP協会」が主催する無料の相談窓口（※2）に問い合わせてみる手もあります。ひとりで家計を切り盛りするシングルマザーにとって、子どもの教育費まで考えるのはほんとうに大変だと思いますが、教育費というのは、〝待ったなしのお金〟です。使う期日は決まっているので、必要なときに用意できなければ意味がありません。離婚後の生活に慣れたら、早めの対応を心がけましょう。

　教育資金が用意できたら、あなた自身の「老後資金」の準備をはじめることも大事です。「老後なんてまだ遠い先」と思わないこと。老後の生活を送るためのお金はだれもが必要です。将来的には親も子どもも自立して暮らすのが理想の生活です。子どもに迷惑をかけずに暮らせるよう、資金づくりを怠らずに進めましょう。

将来の夢や暮らしについて親子で想いを語り合おう

　ところで、ここまで教育資金を準備する重要性について解説してきましたが、ほんとうに重要なのは、将来にたいして、お子さんがどんな夢を思い描いているかです。それによって進路は大きく異なります。親も子どもも納得した進路を歩めるよう、子どもが中学生ぐらいになったら、しばしば親子で将来の夢や希望を語り合いましょう。下のデータにあるように、高卒と大卒では、生涯賃金に数千万円の差が出る場合もありますが、その差がそのまま人生の幸せにつながるとはかぎりません。お子さんがどんな仕事に就きたいのか想いを聞き、その夢を叶えるにはどうしたらいいのか、情報を収集。それを実現するための金額が判明したら、それをどうやって用意するか、親子でよく話し合い、双方が納得のいくお金のかけ方をすることが重要です。

　親としては、子どもの希望する道へ進める後押しができるのが最良ですが、いくら子どものためだといっても、あなたの老後資金がなくなるようなら、無理は禁物です。また、奨学金制度や支援制度などを利用することで、希望する道に進めたとしても、給付型のものでないかぎり、それはお子さんが借金を背負って社会へ出ることを意味します。その借金を背負ってまで進学する意味があるのか、返す覚悟があるかを親子でしっかり話し合い、十分に納得してから利用しましょう。

　日本学生支援機構のデータによれば、奨学金の返済を要する人は、平成27年度末で３８１万１４９４人。そのうち３か月以上の延滞者は16万４６３５人にものぼっています。延滞理由は失業や転職などもありますが、正規雇用が４割を切り、収入が不安定な若者が増えている社会背景も大きく影響しています。

　くどいようですが、将来、親も子ども自立して生活できるのが理想です。親子でじっくり話し合い、後悔しない選択をしてほしいと願います。

高卒と大卒の生涯賃金

（同一企業に正社員で60歳まで勤務、退職金ふくまず、2014年）

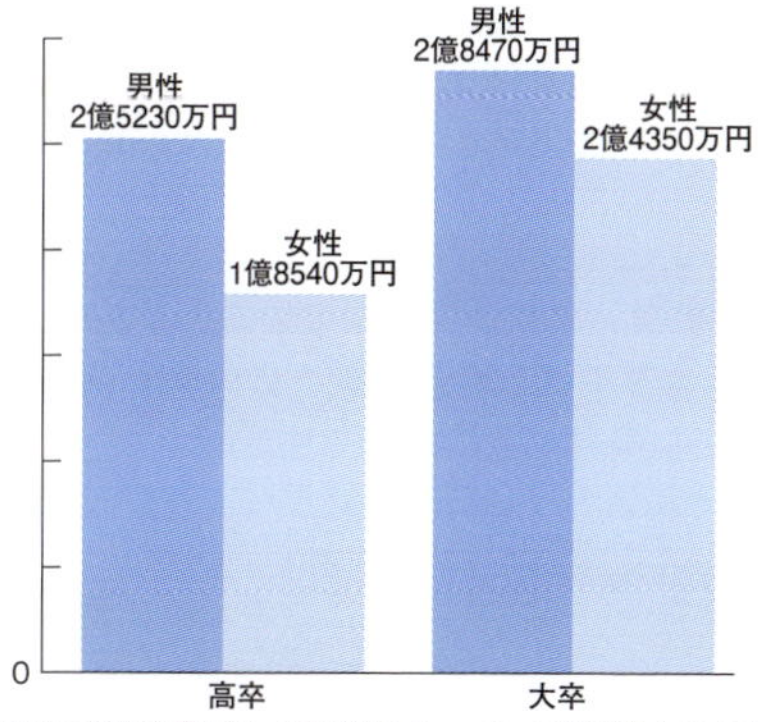

出典：労働政策研究・研修機構「ユースフル労働統計2016」より

※1　自動積立定期や職場の財形貯蓄なども選択肢のひとつ。

※2　日本ＦＰ協会 https://www.jafp.or.jp/
☎０３-５４０３-９８８０（土曜、日曜、祝日、年末年始をのぞく10時～17時）

わが子の進学をあきらめないための制度

奨学金や貸付金制度など、わが子の進路を考えるうえで知っておきたい、さまざまな支援制度を紹介します。

■奨学金

経済的な理由で修学が困難な学生に対して、貸与または給付される学資金。それが奨学金です。貸与型には無利子のものと有利子のものがあり、利用するには、成績が一定基準以上で、親の年収が一定基準以下であることが条件です。ただし、審査に通っても、お金の振り込みは入学後。入学前に必要な資金は別途用意しておきましょう。

●日本学生支援機構の奨学金　大学(高専、専門学校ふくむ) や大学院で学ぶ人を対象に、国が実施する奨学金。住民税非課税世帯や生活保護受給世帯など、経済的にきわめて進学が難しく、かつ高校などで優秀な成績をおさめた学生に対して交付される給付型と、貸与型(無利子の第一種と有利子の第二種)がある。海外留学のための奨学金もある。問い合わせは、在学する学校の奨学金窓口へ。日本学生支援機構 http://www.jasso.go.jp/index.html

---

●自治体の奨学金　都道府県・市区町村が実施する奨学金。高校進学のためのものもある。無利子の貸与型が一般的で、給付型もある。自治体によっては、地元企業への就職を条件に返済を援助することも。日本学生支援機構のページで、条件ごとに検索できる。
http://www.jasso.go.jp/about/statistics/shogaku_dantaiseido/index.html

---

●看護師などになる人への修学資金　看護師や介護福祉士、保育士などになるため、養成施設に在学し、資格取得後にその自治体で働く人を対象とした奨学金。看護師等修学資金、介護福祉士等修学資金、保育士修学資金。貸与型だが、卒業・資格取得後すぐに指定施設で一定期間勤務した場合は、返済が免除される。問い合わせは、各自体の窓口へ。

●遺児のための奨学金　保護者を亡くした、または保護者が重度の障害を負った人で、進学をめざす人を対象とした奨学金。交通事故以外の理由で遺児になった人には、あしなが育英会のあしなが奨学金、交通遺児には交通遺児育英会の奨学金がある。どちらも無利子貸与型。
あしなが育英会　http://www.ashinaga.org　交通遺児育英会　http://www.kotsuiji.com

---

●私立大学の給付型奨学金　私立大学が独自で実施する給付型奨学金。入試前の書類審査によって認定される予約型と、入試の得点上位者が認定される選抜試験型がある。奨学金のほか、学費免除や特待生制度を設けている大学も多い。問い合わせは、入学を希望する大学の窓口へ。

●民間企業・団体の給付型奨学金　伊藤謝恩育英財団の奨学金(入学一時金 30万円、月額6万円)、日本証券奨学財団の奨学金(大学は、自宅外通学＝月額4万5000円、自宅通学＝3万5000円) など、民間企業や団体が給付する奨学金。他の奨学金と併用できるものが多い。

■無利子の貸付金制度

ひとり親家庭の場合、母子・寡婦福祉資金貸付制度が利用できます。月々の修学を支援する「修学資金」と、高校・大学の入学に必要な「就学支度資金」などがあり、いずれも無利子で借りることができます（126ページ参照）。また、社会福祉協議会にも低所得者世帯向けの貸付金制度があります。

■日本公庫の教育ローン

年間をとおして申し込みができ、入学前でもお金が一括して振り込まれるので、受験料や入学手続きの際の納付金などにあてることができます。申請は「日本政策金融公庫」へ。最高350万円まで借り入れができます。

教育ローンコールセンター
0570-008656（平日9時～21時、土曜9時～17時）　https://www.jfc.go.jp/

■自治体の支援制度

都道府県・市区町村の自治体が奨学金制度を設けています。各自治体の窓口へ問い合わせてみましょう。たとえば、東京都では「受験生チャレンジ支援貸付金」を設けています。これは、学習塾などの受講料や受験料を対象とした貸付制度で、〝高校・大学に入学の場合、返済が不要〟。学習塾の受講料は上限20万円が、受験料は上限つきですが、中3と高3で借りられます。

■国公立大学の入学料・授業料の減免

経済的な理由によって授業料の納付が困難で、かつ学業優秀と認められた人などにその納付を免除する制度です。国公立大学ごと、学科によっても、申し込み方法は異なるので、志望校のホームページや相談窓口で確認しましょう。

生活保護家庭の子どもの大学進学には「世帯分離」という選択もある！

生活保護を受けている家庭の子どもの場合、現在の生活保護制度においては、残念ながら、昼間の大学進学は認められていません。「生活保護家世帯の構成員で働ける状況にある人は、できるかぎり働いて、制度に頼らない状況をつくろう」というのが、制度の大きな目的のひとつとなっているからです。

しかし、親の世帯から進学予定の子を切り離す「世帯分離」をすることで、大学進学をめざす方法があります。世帯分離をしても、親と同居することは可能です。しかし、世帯分離をした時点で、その子どものぶんの生活保護費の支給はなくなりますし、子どもは自分で国民健康保険に加入して、保険料を支払わなければなりません。そのうえ、大学進学をするための入学資金や、奨学金の借り入れも自分でしなければなりません。世帯分離には、このようにさまざまなメリット、デメリットがあります。家族間だけでなく、専門家や担当のケースワーカーにも相談しながら進めましょう。

知っておきたいさまざまな進路

給与をもらいながら高卒・大卒資格を取得できる学校や、働きながら学校に通う進路などを紹介します。

■企業内学校

企業が職員への教育のため、社内に設置した学校で、中学３年の中学卒業見込み時に、ハローワークを通じて入学&採用試験を受けます。

たとえば、トヨタ工業学園高等部では、毎月、生徒手当の支給を受けながら、３年間のカリキュラムを通じて、社会人・企業人としての基礎を身につけ、約２０００時間の技能教育によって国家資格、実用資格など多くの資格の取得が可能。卒業と同時にトヨタの社員になれます。また、豊田工業大学への進学の道も開かれています。

■省庁所管の教育機関

防衛医科大学校や気象大学校などの省庁所管の教育機関では、各省庁の幹部候補生やスペシャリストを育成することを目的としています。入学と同時に国家公務員となり、学費が不要なうえに、給与も支給されます。また、海上保安学校以外は「学士」の資格取得もできます。陸上自衛隊高等工科学校では、中学卒業後に入校が可能で、卒業時には高校卒業資格が取得できます。

■企業が設立&支援してできた大学

企業に就職した場合に役立つ実践力を身につける大学。就職率が高く、奨学金制度や特待生制度を備えている学校もあるので、選択肢のひとつとしておいて損はないでしょう。

■職業訓練校

技能を身につけるための学校。比較的費用も安く、就職率も高いのが特徴。高卒のための求職者支援制度を利用すると、給付金が支給されることもあります。問い合わせは最寄りのハローワークへ。

■新聞奨学生

新聞社が設けた進学支援制度で、在学中、新聞配達をすることで、毎月給料が支給されます。通学の交通費、住居や食事の負担が軽減する寮の提供などもあります。ただし、配達業務は時間にも縛られ、肉体的にも過酷です。学業を続ける強い意志が必要です。

進学を考えたら

具体的に教えます、私たちの奨学金体験

娘2人を母子家庭で育てました。奨学金がなかったら、学校には行かせられなかったと思います。日本学生支援機構の第2種奨学金の貸与を受けました。長期にわたって返済しなければならないことを子どもたちと何度も話し合い、それでも進学する意思が強かったので利用しました。

長女は美容師に、次女は栄養士になるための入学金と学費を借りました。卒業してからの月々の返済額は1万7000円くらいです。返済期間は18年で、娘たちにとっては大変だと思います。専門学校は学費のほかにかかる費用もいろいろありました。たとえば、長女は研修旅行をしたり、着付けやブライダルやネイルを学んだりしたので、その費用はなんとか私が工面しました。奨学金があって本当に助かりました。

長女は現在は28歳で、結婚して子どもを産んでいますが、産休で仕事ができない時期には「返還期限猶予」を申請し、その間の返済は免除してもらえました。いまは保育園に子どもを預けながら、美容師の仕事をがんばっています。次女も栄養士として働いています。2人とも自分の意思で進学を決めて、希望の職種に就くことができたので、よかったと思っています。

（千葉県／58歳／M・Hさん）

息子の進学先の専門学校が自宅から1時間半の距離にあり、入学後半年足らずでひとり暮らしをしたいと言いだしました。私は戸籍上は母子家庭ではなかったのですが、夫とは長年別居中で、4人の子どもをひとりで育てていたので、日本学生支援機構の第2種奨学金を利用しました。

息子自身が学校で奨学金情報を見つけてきて、保証人になってほしいと頼まれたので、了承しました。入学金はなんとか私が出したのですが、ひとり暮らしの生活費までは賄えなかったので、奨学金を借りてよかったです。2年間、毎月10万円を学費として借りられました。卒業後に息子が月額1万4000円ずつ返済しています。返済期間は15年で、30代のこれからもまだ長く続くようですが、自分で納得して借りたお金なので、きちんと返済しているようです。

（千葉県／61歳／K・Nさん）

ぼくが小学生のときに父親の会社が倒産し、その後、中学生のときに父親が病気で他界しました。母は、着物の着付け講師の仕事で生活を支えていました。生活が苦しかったので、大学時代に日本学生支援機構の第1種奨学金と地元スーパーの奨学金を2つ受けました。学費の工面については母がいろいろとアンテナを張っていたんでしょう、母から教えてもらいました。

地元スーパーの奨学金は学校の先生からすすめられました。これは地元の高校生の大学進学を支援するための奨学金で、返済の必要がなく、月額3万円が支給されました。日本学生支援機構の奨学金とあわせると、月額8万円を学費にあてることができ、助かりました。

また、なるべくお金のかからない進路選択をしました。受験勉強は自宅学習で、国立大学のみを受験したので、無駄な受験費用がかからなかったと思います。現在は学びを生かして脚本家・翻訳家として仕事をしています。奨学金の返済は無事終わりました。

（大阪府／39歳／M・Aさん）

ひとり親家庭と年金

国民年金は継続して10年以上支払うと年金がもらえます。資格喪失しないよう、しっかり納めましょう。

年金はひとり親家庭の大切な保険

国民年金は、20歳以上60歳未満のすべての人が加入する制度で、共通の基礎年金を受けることができます。

図の2階部分の厚生（共済）年金に加入している人は、基礎年金に上乗せして、年金を受けることができます。図の1階部分が基礎年金と言われ、2017年現在、40年加入して満期に約6、7万円の支給という設定になっています。

将来の生活設計までは、なかなか考えられないかもしれませんが、未加入が続いて権利を失わないように、しっかり納めましょう。

●知っていますか？　日本の年金制度

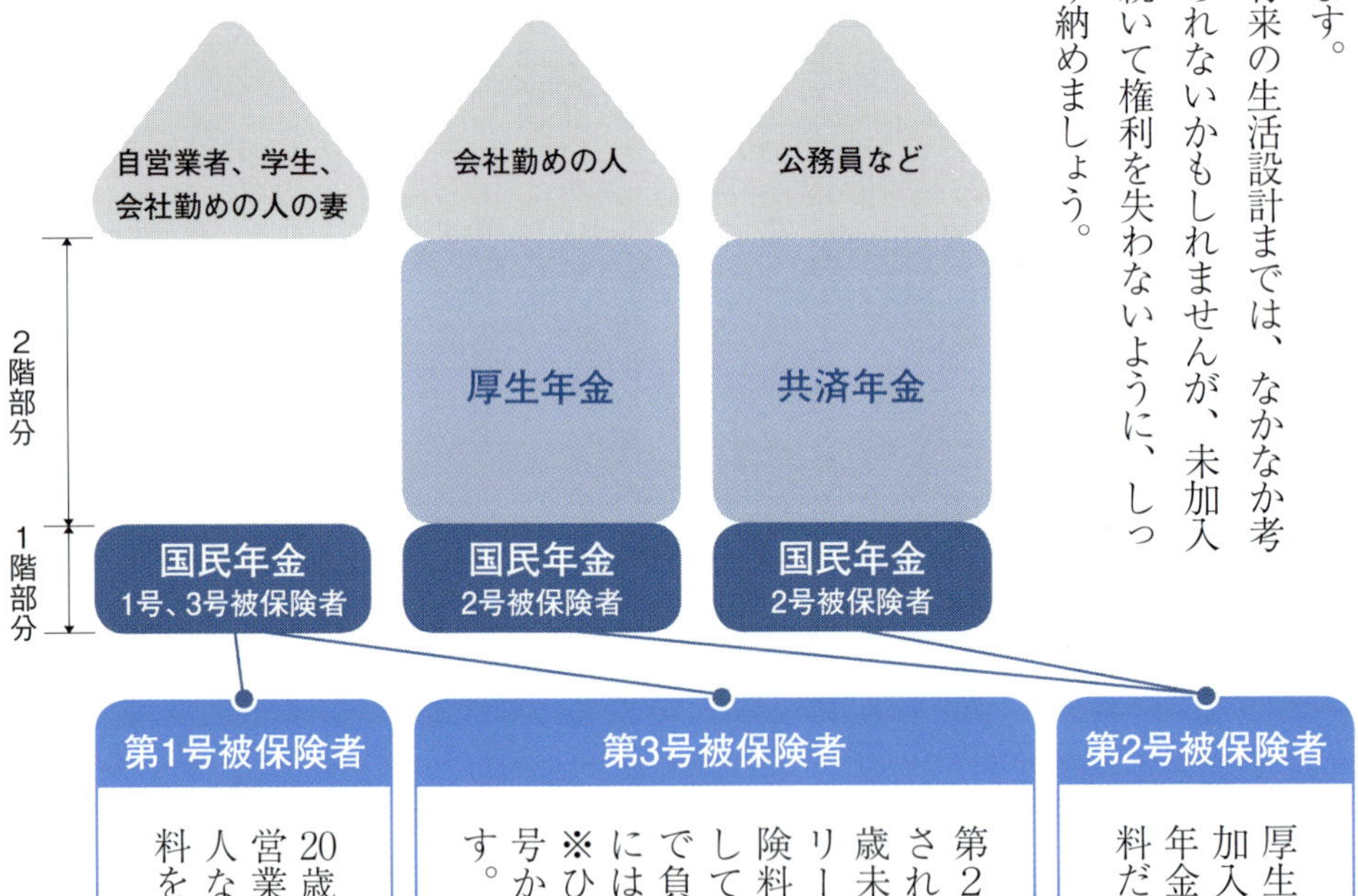
20歳以上60歳未満の自営業者・学生・無職の人など（国民年金保険料を支払います）
第2号被保険者に扶養されている20歳以上60歳未満の配偶者（サラリーマンの妻など。保険料は、配偶者が加入している年金制度全体で負担するので、個別には支払いません）
※ひとり親家庭は第1号か第2号に該当します。
厚生年金や共済年金に加入している人（厚生年金や共済年金の保険料だけを支払います）

おしえて年金Q＆A

Q 国民年金の保険料はいくらですか？

A 国民年金の保険料は定額で、２０１７年度で、月額1万６４９０円となっています。日本年金機構から送られてくる納付書（国民年金保険料納付案内書）によって、納めます。保険料は毎年上がることが決まっています（上限あり）。

全国の銀行・郵便局、農協、漁協、信用組合、信用金庫、労働金庫、コンビニなどで納めることができます。

Q ひとり親家庭で生活していくので精いっぱい。年金のことなど考える余裕とお金がありません。将来、余裕ができてから考えればいいでしょうか？

A 国民年金制度は世代間扶養を基本においた仕組みで、入るか入らないかを個人の任意に委ねていては成り立ちません。なによりも、自分にもしものことがあった場合に子どもを支える保障として考えましょう。

余裕がない人のためには免除申請制度（次ページ）があります。社会のためにも自分たちのためにも、手続きはしっかりとしておきましょう。

Q 勤めている会社で厚生年金保険に加入しているのですが、国民年金保険には加入しなくてもいいのでしょうか？

A 会社などに勤めて、厚生年金保険や共済組合に加入している方は、同時に国民年金に加入することになっています。

加入手続きは、厚生年金保険や共済組合に加入したときに会社などがしてくれるので、自分で手続きをする必要はありません。

Q わけあって会社を退職しました。国民年金に加入しなくてはならないですか？

A 会社を退職したら、自分で国民年金への加入手続きをしなければなりません。退職により厚生年金に加入しなくなったことから、国民年金の第1号被保険者として、加入手続きをすることとなります。

お住まいの市区町村の国民年金担当窓口で、届書に必要事項を記入のうえ、届け出をしましょう。

国民年金の免除申請

法定免除と申請免除の2種類があります。免除期間は、継続とみなされるので、忘れずに申請しましょう。

免除と未納では大違い！払えないときはかならず免除申請をしておこう

経済的な理由などで保険料を納めることが困難な場合には、申請により納付が免除される保険料免除制度があります。

国民年金は継続して10年以上支払うと年金がもらえるようになります。払えないからといって10年を満たせなくなって、資格喪失してしまわないように、面倒くさがらずに免除申請をしましょう。申請をすると免除期間中は継続とみなされます。

保険料が免除される2種類の方法

免除には法定免除と申請免除の2種類があります。次のいずれかに該当しているとき、届出をすると保険料が免除されます。

●法定免除

1 障害基礎年金を受けているとき
2 生活保護を受けているとき
3 厚生労働省などで定める施設に入居しているとき

●申請免除

1 所得が一定額以下のとき
2 被保険者やその世帯の人が生活保護以外の扶助を受けているとき（児童扶養手当受給者）
3 障害者や寡婦で前年度の所得が125万円以下のとき
4 天災、失業などで保険料を納めるのが困難なとき

一部納付免除

保険料の一部が免除され、納付額に応じて年金が支給される

一部納付は3種類。
1/4納付→年金額5/8
1/2納付→年金額6/8
3/4納付→年金額7/8

全額免除

保険料の全額（16,490円）が免除され、1/2の年金が支給される

全額免除された期間は、保険料を全額納付したときに比べ、年金額が2分の1として計算されます。

申請の窓口と方法

お住まいの市区町村役場の国民年金担当窓口にて、申請書をもらい記入して提出してください。申請が承認されると、申請した月の前月分から翌年度の6月までの保険料が免除されます。申請が遅れると、そのぶん、免除の開始も遅くなります。

免除申請に必要なもの

①年金手帳
②印鑑
③所得証明書、雇用保険受給資格者証、離職票の写しなどが必要な場合があります。

※詳細は担当窓口にお問い合わせください。

免除された期間の年金はどうなるの？

保険料の全額免除や一部免除などの承認を受けた期間は、保険料を全額納付したときに比べ、将来の年金額が少なくなります。

また、免除期間の年金については、10年以内であれば、さかのぼって保険料を納めることができるようになっています。納付すれば、将来もらえる年金額も増えて安心です。

免除期間も、年金を受給するための受給資格期間には算入されます

「全額免除」は、年金を受給するための受給資格期間には算入されますが、年金額は保険料全額を納めたときと比べて2分の1として計算されます。

「一部免除」も受給資格期間には算入されますが、年金額は納付した保険料に応じて計算し支給されます。

なお、一部免除を受けた期間で、保険料を納付しない場合は、未納期間となってしまうので忘れずに納付しましょう。

全額免除申請の手続きが簡単になりました

２００６年度から、全額免除と納付猶予に限り、免除申請の手続きが簡素化されました。前年度に全額免除だった人は改めて申請書の提出をする必要がなくなり、申請手続きの負担が軽減されました。

さらに詳しい情報を知りたいときは「日本年金機構 http://www.nenkin.go.jp/」を確認。

保険料の免除と年金支給額は２００９年４月分からのものです。同年3月分以前のものは最寄りの担当窓口で確認してください。

賢いシングルマザーの生命保険見直し術

賢い保険選びで、子どもの未来を守りましょう。将来のことやもしものこと、ちゃんと考えるのが幸せへの第一歩です。

万一のときや将来に目を向けることは幸せへの第一歩

シングルマザーの保険選びは、優先順位を考えて、必要なものから、なるべく安く、コンパクトに選ぶのがポイントです。

シングルマザーは、仕事と子育てをたったひとりでこなしているため、体力的にかなり過酷な状況にあります。私自身、シングルマザーで、子どもたちが小さなころはずいぶんと無理をしました。そのときは日々の生活に必死でしたから、無理をしているという実感がないまま、急に倒れて入院となったことも何度かあります。

でも、若くしてそんな経験をしたことで、健康のありがた味や、もしものときのことを考える大切さを早い段階で実感することになりました。シングルマザーは、自分が倒れたら子どもの一生を左右する、ということを痛感したのです。そのおかげで、それまではただその日の生活で精一杯で将来のことなんて考えられない、という気持ちから一歩脱して、冷静になるきっかけとなりました。

少ない収入でも最低限の保障を確保できるよう保険を探したり、たとえわずかでも貯蓄に回せるよう目標をもったりと、将来を考え、計画を立てる気持ちを維持することは、とても大切です。現実をちゃんと受けとめて、親子で協力し工夫しあって未来に夢をもち、生きていくことが、幸せへの第一歩だからです。

シングルマザーは日々過酷 いちばんに医療保険の確保を

自治体のひとり親家庭医療費助成制度（Ｐ76参照）や、国の高額療養費制度を利用することによって、ひとり親は医療費がほとんどかかりませんが、もしも入院となった場合、医療費以外にも、自己負担しなければならない費用があります。差額ベッド代、食事代、入院中の備品や入院生活費など、意外とお金がかかるのです。

また、正社員として会社勤めしている人は有給休暇があったり、長期休むことになっても、健康保険から給付される傷病手当金で給与の3分の2を確保できたりします。でも、パートや自営業で働く国民健康保険の人には、こうした社会保険からの保障が手薄です。

私自身も自営業だったので、入院したときには、医療費だけでなく、病気で仕事を休んでいるあいだの収入減をカバーするのに、民間の医療保険が役立ちました。とくにパート勤めなどで日々の生活に精一杯だと思っている人ほど、医療保険だけは少額のものでも入っておくことをおすすめします。年齢が若い人なら、月額保険料１０００円台から加入できます。

医療保険は、健康状態の告知だけで簡単に加入でき、また、インターネットでの資料請求や申し込み手続きまでできる商品もあるので、忙しいママにも便利です。近所に保険ショップがある場合は活用するのもいいでしょう。

私がおすすめするのは、価格が安く内容がわかりやすいという観点から、ライフネット生命の「じぶんへの保険」、オリックス生命の「ＣＵＲＥ」など。また、女性特有の病気をカバーする特約をつけるのもいいでしょう。

自分に万が一のことがあったときのための死亡保障も考えておこう

2番目に必要なのは、死亡保険。自分に万が一のことがあったときに子どもの将来を守るための保険です。おすすめはシンプルで保険料の安い掛け捨ての「定期保険」（10年満期）です。インターネットで資料請求や保険加入できます。

予算がある場合には、大手生保会社の商品で、大型死亡保障プラス三大成人病保障や医療特約など、総合的な保障を備えた商品でもよいでしょう。大手生保のよさは、優秀な担当者に出会えると、もしものときに駆けつけてくれるなど、万全のアフターフォローをしてくれる点。いい担当者に出会うことがポイントです。

そのほか都道府県民共済やＣＯＯＰ共済にも、総合的な保障をコンパクトにセットした総合共済商品があります。共済の特徴は、毎年、割戻金があること、また年齢に関係なく掛け金が一律な点で、年齢が高い人ほどお得ですので、賢く活用しましょう。ただし、一度大きな病気をすると更新できないというデメリットもあるので、注意してください。

働けなくなったときの保障

突然のケガや病気での入院には医療保険が役立ちますが、いまは医療の発達により、早期に退院してあとは自宅療養となる治療方法が主流です。たとえば、胃や直腸などのガンでも平均入院日数は約13日。こうした背景から、自宅療養期間の収入減分の確保に、働けない期間の収入を保障する保険が注目されています。

おすすめは、アフラックの「給与サポート保険」、ライフネット生命の「働く人の保険」などです。

また、もしも働けなくなったときには、こうした民間の保険だけでなく、社会保険が大きな支えになるので、以下にお知らせしておきます。

社会保険の違いを知ると保険選びがスムーズに

正社員の人が入る健康保険には、前述したように「傷病手当金」があり、病気療養で給与が得られなくなっても月額報酬の3分の2が1年半のあいだ給付されます。パートや自営業の人が入る国民健康保険にはこれがないので、働けなくなったときの格差が大きくなります。

■病気やケガで長期間、働けなくなったときの公的保障

自営業など国民健康保険や国民年金に加入している人は、サラリーマンの人よりも、働けなくなったときの公的保障が不足しています。

社会保険	健康保険からの給付（1年6か月まで）	公的年金からの給付（1年6か月後以降）
サラリーマンなど（健康保険、厚生年金）	傷病手当金	傷害厚生年金 傷害基礎年金
パート・自営業など（国民健康保険、国民年金）	（ナシ）	傷害基礎年金

■25歳女性の医療保険加入例

医療保険商品名	保障額	手術給付金	月払い保険料	その他の特徴
オリックス生命「新CURE」	入院日額5000円	2.5万・10万円	1485円	先進医療・女性特約・がん通院特約などを付加できる。

■30歳女性の医療保険加入例

医療保険商品名	保障額		月払い保険料	その他の特徴
アフラック「ちゃんと応えるEVER」	入院日額1万円	手術給付金5・10・40万円	2840円	先進医療・通院・先進医療・女性特約などを付加できる。
ライフネット生命「じぶんへの保険」	死亡保障1000万円	保険期間10年	896円	ネットやスマホで申し込み手続きができるので便利。

　また、重度の傷病で長期にわたって仕事に支障が出る状態になったときは、初診日から1年半経過後以降、今度は公的年金から「障害年金」が給付されます。

　パートや自営業の国民年金加入者には「障害基礎年金」が、正社員など厚生年金加入者には「障害基礎年金＋障害厚生年金」が給付されます。これもやはり、国民年金の人のほうが給付額は少なくなります。

　このように、国民年金加入の人ほど、もしものときの保障が不足していますので、民間の保険で補うことが重要です。また、正社員の人は公的保障分を把握して差し引いたうえで、不足するぶんを確保すると効率的です。保険の専門家や保険ショップに相談するとシュミレーションしてくれますので、相談してみましょう。

　ここまでみてきたように、まずは公的保険の保障がもっとも大きな支えとなりますので、公的保険の保険料を滞納しないよう気をつけましょう。収入が少ないときは、保険料の軽減措置や免除制度もあります。免除申請がきちんとされていれば、もしものときにも同じ保障を受けられます。支払えないから放置するというのが結果的にいちばん損をしますので、支払いが困難なときにはかならず自治体の窓口に相談にいきましょう。こうしたことをしっかり抑えておくことも、シングルマザーにとっては大事な生きる知恵です。

学資保険で子どもの将来の夢を守る

　学資保険は、将来にかかる学費を早いうちから計画的に準備するための商品です。預貯金との違いは、目的が子どものためと明解なので励みになり、お金をためやすい点です。

　いま流行っているのは、子どもが10歳や15歳など、比較的教育費がかからないうちに前倒しで支払いを完了するタイプの学資保険です。人気が高いのはアフラックの学資保険などです。

　学資保険選びのポイントは、家計を圧迫しない無理のない保険料にすることです。途中でやめてしまうと損をする場合もあるので、注意しましょう。

筆者プロフィール

森田直子　保険ジャーナリスト
(有)エヌワンエージェンシー代表取締役

平成6年離婚。シングル歴23年の2人の娘を育てたシングルマザー。秋田県出身。保険・金融分野専門の執筆家で、著書『あなたの保険は大丈夫？』（ダイヤモンド社）ほか、業界紙、経済紙、WEBサイト等での執筆多数。保険営業経験をもち現場知識に強く、庶民感覚にもとづいたわかりやすい文章に定評がある。

「ひとり親家庭医療費助成制度」とベビーシッターを使って乗りきろう！

子どもの病気は親の努力では避けられない

子どもは信じられないくらいに病気にかかります。保育園や幼稚園に入園したての頃はとくに、子どもによっては少なくとも月に1、2度、「1週間続けて登園できたためしがないわ」という場合もあるくらいです。

集団生活を始めたばかりの子どもの病気は親の努力では避けられないものです。でも子どもの病気は免疫力をつけていくために、必要なことなのです。

そうはいっても、シングル家庭は稼ぎ手がひとりしかいないため安易に仕事を休むわけにもいかず、子どもが病気になると本当に困ります。

我が家は子どもが幼児の頃にはベビーシッター会社2社と契約していました。会社によっては「病気の子どもは預かることができない」というシステムのところもあるので、それを調査したうえで、急な依頼にもできるだけ対応してもらえるように2社を選びました。

民間のベビーシッター会社は「1時間2500円以上」という高額の支払いを余儀なくされる場合もありますが、私はこの時期は「時間を買う」と割りきっていました。

ひとり親家庭医療費助成制度を活用しよう

子どもが幼いのはいっときのこと。将来を安定したものにするためには仕事のスキルアップが優先です。そのための投資だと思ってベビーシッターを利用していました。

1ヶ月の利用料金が7万円ほどになる月もあり、当時の給料の3分の1がシッター代に消えているなんてこともありました。

子どもが病気をするとシッター代がかかって苦しい。そんなとき、とても助けになったのが「ひとり親家庭医療費助成制度」です。

多くの自治体で実施している支援制度で、ひとり親家庭を受給者とし、健康保険給付の自己負担分のうち一部負担金を除いて助成してくれる制度です。

「ひとり親家庭医療証」を交付している自治体もあるし、診療後に申請書を出すと医療費が戻ってくるという自治体もあります。地域によって違うので確認してみてください。　（新川てるえ）

3
章

シングルマザーの住まい

暮らしの基盤を確保！
住まいの選択方法をケース別に紹介

離婚後の住まいの選択は、大きく分けて３タイプ、「婚姻中の家に住む」「実家へ戻る」「部屋を借りる」などがあげられます。この章では、経験談をまじえながら、それぞれの長所・短所を解説。また、母子生活支援施設などのライフネットや、各地に広がるシェアハウスなども紹介。自分に合ったものを上手に活用しましょう。

引っ越すときには要チェック！子育て支援は自治体で違います

もしあなたが離婚後、引っ越しを考えているのなら、住む場所を決めるまえに、住みたいと思っているエリアの自治体の子育て支援制度について調べてみることをおすすめします。

国の子育て支援政策は拡充方向にありますが、支援の具体的な中身は自治体によって異なるからです。チェックすべきポイントは「助成」「補助」「減免」の3つの制度。たとえば医療費の助成は何歳までいくらしてもらえるのか。住宅を借りるときの優遇措置や助成金の有無や、子育て世帯における減免制度などがどうなっているのかを調べてみてください。毎月かかる保育園の保育料や給食費なども自治体によって差があります。

小さな子どものいるシングルマザーの場合、住居を決めるときには、祖父母など子どもの面倒をみてくれる人がいるか、通勤や通園・通学に便利かなども重要な要素だと思います。しかし、〝ちりも積もれば山となる〟。長い目で見ると、支援制度の違いによって家計の支出は大きく異なります。

自治体の子育て支援は、助成・補助・減免のほかに入学祝い金などをもらえたりする住民サービスもあります。子育てをしていくうえでは、図書館の充実度や公営プールの有無などもチェックしておきたいポイントといえるでしょう。

これら支援の差は、各自治体のトップの思想やリーダーシップの力の大きさなどにも左右されますが、一般に財源の豊かさに比例しています。そのため、東京都のように経済的に豊かな大都市が子育て支援に手厚い傾向があります。

ただし、限界集落などで過疎が続いているエリアでは、移住者向けの優遇制度を設けている自治体も増えています。家を無償で提供してもらえたり、期限つきで生活補助をしてもらえる場所もあります。

これから子どもと生きていくうえで、何が大切で必要なのか、よく考えて住まい探しをしてください。

自治体によってこんなに差が！

住宅優遇制度

東京都武蔵野市

マイホーム借り上げ制度

市が借り上げた物件には敷金、礼金不要。家賃は相場より10～20％割安。

長野県下條村

村営住宅を建設

2LDKで駐車場つき。家賃は月額3万3000円～3万4000円。

下條村の支援は、住民自身が道路整備工事をおこなうなど、徹底したコスト削減の努力によってできた財源で実現しました。下條村にはほかにも手厚い子育て支援制度があり、若い世帯の移住が進んで人口が増加しています。

医療費助成

東京都北区

18歳（高卒相当）
所得制限・自己負担なし

鹿児島県大島郡与論町

未就学
所得制限・自己負担あり

医療費助成は多くの自治体でおこなわれていますが、一部の自治体では実施されていません。また、実施されていても、その手厚さは自治体によって異なります。

幼稚園にかかる費用

東東京都江戸川区

私立幼稚園入園料補助金　8万円

私立幼稚園保育料補助金　月額2万6000円×36か月

合計101万6000円

千葉県市川市

私立幼稚園入園料補助金　なし

私立幼稚園保育料補助金　年額3万5000円×3年

合計10万5000円

保育所とは異なり、私立幼稚園の保育料には基準がありません。そのため、となりどうしの自治体でも、90万円という大きな差が出てしまいます。

持ち家の場合

婚姻中の家に住む方法

ケースバイケースで手続きは変わる
専門家にかならず相談を!!

持ち家の場合、家の名義が夫か妻かによって、その手続きは変わってきます。

住んでいた家が、妻、もしくは妻の親族名義の場合は、名義変更をする必要はありませんが、夫の持ち家に住みつづける場合は、離婚時の財産分与として処理し、不動産の所有名義の変更をしなければなりません。

財産を分けるときは複雑な手続きが必要
複数の税金がかかることもあります

その場合、単純に財産を分けること以外に注意すべきは、そのときの不動産評価額によっては家をもらった妻には「不動産取得税」や「贈与税」が、反対に家を渡した夫には「不動産譲渡税」がかかること。さらに、登記を書きかえるときには、「登録免許税」や、その年に支払うべき「固定資産税」が別途かかります。

このように税金の支払いひとつあげただけでも、手続きはとても複雑です。

また、前述したケースは、単独名義でローンがない物件の場合です。共有名義で、物件にローンがついていると、手続きはさらに複雑となり、素人が手続きした場合、あとからトラブルが起きる原因になりかねません。

司法書士や税理士から
有効なアドバイスをもらう

以上のような点を考えあわせると、別途手数料はかかりますが、不動産の所有移転登記手続きは、司法書士や税理士などの専門家に任せるほうが賢明です。

たとえば、夫にかかる不動産譲渡税に関しては、親族以外の者への譲渡の場合、「譲渡所得の特別控除の3000万円」と、「居住用財産の軽減税率の特例」を適用できるケースもあり、その場合は、離婚成立後に名義変更をしたほうがいいケースもあります。

そういった有効なアドバイスを、専門家から教えてもらえば安心です。

不動産の所有移転登記に必要な書類

- □ 所有権移転登記申請書
- □ 固定資産税証明書
- □ 不動産分与を証明する協議書
- □ 登記簿謄本など
- □ 不動産の権利書
- □ 夫の委任状（実印で押印する必要あり）
- □ 夫の印鑑証明書１通（3ヶ月以内のもの）
- □ 夫の住民票1通（以前に登記したときと住所変更している場合）
- □ 妻の委任状
- □ 妻の住民票1通
- □ 不動産の評価証明書

●不動産取得税とは？

不動産を買う、もしくは受けとった側が支払うべき税金。ただし、婚姻期間が20年以上で、居住用の土地と建物の取得の場合は、軽減措置がある。

●不動産譲渡税とは？

不動産を受け渡す側が支払うべき税金。ただし、居住している土地・建物の場合は、3000万円までの特別控除が受けられる場合もある。

経験談

夫名義だった家に私が住むことになりました

大変だったのは、ローンの名義変更　なかなか債務者変更の承諾を得られず…

共稼ぎをしていた私の場合は、夫名義でローンを借り、私もお金を出したので共有名義で家を持っていました。

別れるときには、私がそのまま家に住むことになったので、夫のぶんの所有権変更と、ローンの債務を私名義にする必要が生じました。

大変だったのは、ローンの名義変更。私も働いていたのですが、銀行から支払い能力に疑問をもたれ、なかなか債務者変更の承諾を得られませんでした。

結局、違う銀行からお金を借り、借りかえというかたちをとりました。

賃貸の場合

婚姻中の家に住む方法

賃貸契約の名義が夫の場合は新たに契約しなおす必要がある

婚姻中に借りていた家に住みつづけたい場合は、借りるときに交わした賃貸契約書が誰の名義になっているかがポイントとなります。おそらくほとんどのケースで、夫名義となっているでしょう。

その場合は、「賃貸契約書の名義変更」をする必要があります。

離婚の事実を黙っていて、あとからそれが発覚した場合、借家権が勝手に譲渡されたとして、問題になるケースもあります。

離婚する、もしくは離婚したという事実を契約の際、不動産屋に告げる

まずは賃貸契約をする際に利用した不動産の賃貸業者に事情を説明して、賃貸契約の名義変更をしたい旨を申し出ましょう。

離婚という、個人的なことを他人に話すのは気が重いかもしれませんが、離婚したという事実だけを述べ、再契約をしたい旨を話せば大丈夫。いまや3組に1組が離婚をする時代です。賃貸業者も慣れており、すみやかに対応してくれるはずです。

大家さんが承諾してくれさえすれば、最初に借りたときと同様に、連帯保証人が必要になります。あなたの名義で新たに賃貸契約を結びます。

大家さんが契約を渋ったら引っ越しするのがベター

その際、業者によっては、新たに事務手数料を請求するところもあります。また、もし、大家さんがあなたが借りるのを渋るようなら、あまり固執せず、引っ越すことをおすすめします。

賃貸契約は多くの場合、2年おきにやってくるので、毎回、大家さんの言動に嫌な思いをする可能性があるからです。お金や手間はかかりますが、このような場合は離婚を契機に、この際、新たな生活を踏みだすひとつのきっかけにしてはしてはいかがでしょう。

ひとり親家庭の住居の状況は

（単位：%）

母子家庭							
	総数	持ち家（本人名義）	公営住宅	公社・公団住宅	借家	同居	その他
総数	100.0	29.8（11.2）	18.1	2.5	32.6	11.0	5.9
死別	100.0	61.8（43.9）	12.2	1.6	17.1	4.1	3.3
生別	100.0	27.2（8.6）	18.6	2.6	33.8	11.5	6.2
父子家庭							
	総数	持ち家	公営住宅	公社・公団住宅	借家	同居	その他
総数	100.0	66.8	4.8	1.2	15.2	7.8	4.1

（厚生労働省「平成23年度全国母子世帯等調査結果報告」より）

同調査によると、母子世帯では、「持ち家」に居住している世帯は29.8%。このうち「母本人の名義の持ち家」に居住している世帯は、わずか3分の1の11.2%となっている。その一方で、父子世帯で「持ち家」に居住している世帯は66.8%と、母子世帯より「持ち家」に住んでいる世帯がかなり多い。

また、母子世帯は離婚後、転居を余儀なくされ、離婚前より狭い賃貸住宅に住んでいることも多い。離婚して新しい生活をスタートするためには、仕事探しと同様に、家探しも大きな課題といえる。

ワンポイント情報

小学校や中学校を転校させたくないという理由で、子どもの学区内での引っ越しにしたいという要望も多いようです。その場合には地元の不動産会社を頼りにするのがいいでしょう。場合によっては家賃交渉をすることもあるので、不動産会社にひとり親家庭であることを告げて、理解のある大家さんの物件を紹介してもらうのも手です。

また、最近は学区外通学を認める基準を緩やかにする自治体も増えています。地域によっては学区外の引っ越しも可能です。お近くの行政窓口に問い合わせてみてはいかがでしょうか。

ここに住む

実家へ戻る方法

実家にいる親族は、あなたと子どものいちばんのサポーター

　結婚が破たんしたとき、まず実家に帰ることを考えた人は多いのでは？　もし、それが可能なら、それを実行に移さない手はないと思います。

　お父さん、お母さんをはじめとする実家にいる親族は、あなたと子どものいちばんのサポーター。あなたが仕事をしているとき、無料でしかも、信頼している人たちに、子どもの面倒をみてもらえるのは、経済的な面だけでなく、あなたの大きな精神的支えともなり、かけがえのない安心感を与えてくれるはずです。

円満な生活を送るためにはルールをきちんとつくっておくのが大事

　しかし、同居後、楽しく暮らしていくためには、ご両親と一緒に暮らしはじめるまえに、あらかじめ双方の生活ルールをきちんと決めておきましょう。

　たとえば、「ごはんはだれがつくるのか」「子どもの面倒は、いつ、だれが、どのようにみるのか」「起床や就寝時間はいつになるのか」などを具体的に話しあっておくことはとても重要です。

　細かいようですが、基本的な生活パターンをあなたとご両親が把握しあい、最もよいと思われるルールを大雑把でいいので、つくっておくことが大事です。

　共同生活をするうえでは、双方が妥協することも必要ですが、それが度を越えると、円満に同居生活を送ることができなくなるからです。

　あなたと親御さんが人間として認めあい、マナーと常識をもって接し、いい共同生活や関係を築いていけるかどうかが、実家に戻って暮らすときのいちばんのポイントです。アカの他人とは違ってあまり気を使わない、血がつながっている者どうしだからこそ、最初にルールをつくっておくことが重要なのです。

　離婚後、実家に戻ったけれど、再び家を出た人の多くは、このルールをつくらないままに同居をしたり、つくってもそのルールを守ることができなかった場合が多いようです。

経験談

実家へ戻ったことによって保育園入園に手こずりました

書類に実家の状況を書いていなかったために入園許可されず……

離婚後、仕事もお金もない私は、子どもと実家へ戻ったのですが、それが日中、子どもの世話をしてくれる人がいるとみなされ、子どもの保育園への入園が許可されず大変でした。私の親は２人とも現役で働いていたので、常時、孫の面倒をみることはできませんでした。でも、その事実を書類に書いていなかったため、入園の優先順位が低くなり、なかなか入園の許可がおりなかったのです。

結局、３歳まで準認可園で保育をしてもらい、それ以降、やっと公立園へ入ることができました。

同居の場合には、保育の必要な理由となる実家の状況をきちんと書類に書いておくことが重要です。

経験談

同居しはじめたら、父が認知症になりました

いずれは親の介護をする覚悟が必要

40代に入ってからの離婚は、正規雇用での仕事を見つけることが難しく、パート勤務を続ける毎日。子どもの教育費も大変で、とにかく子どもとの生活を維持したい一心で実家に帰りました。そのことに後悔はいまもしていません。

けれども、３年後、父が認知症になり、介護を必要とするようになりました。現在は、母と一緒に交替で父の面倒をみています。

同居をするなら、ある程度、親の老後をみる覚悟も必要だと思います。

いいとこ取りだけはできないことを、肝に銘じておいたほうがいいですよ。

ここに住む

部屋を借りる方法

インターネットで情報を収集
評判のいい不動産会社へ問い合わせを！

家を借りる場合は、まず住みたいエリアの物件をインターネットで調べて情報収集をしましょう。最近はほとんどの物件情報がネット上にアップされていて、賃貸条件や住環境などの文字情報だけでなく、部屋の間取りなども確認することができます。気になる物件を見つけたら、その物件をとり扱っている不動産会社に電話で問い合わせをしてみましょう。

その際、その不動産会社の口コミや評価をネットで調べておくことを忘れずに！　一般に口コミは中傷が多いですが、星取りなどの総合評価に関しては意外と的確です。不動産会社の評判が悪い場合は、住みたいエリアにある評判が高い不動産会社へ問い合わせてみましょう。現在は、インターネットで情報を一括管理しているので、賃貸物件は、どの業者でもとり扱うことが可能です。あなたの話をしっかり聞いてくれて、求める条件に合った物件を紹介してくれる人がいい不動産業者です。どんなに評判がよくても、実際にその会社へ行ったとき、担当社員の理解力がとぼしかったり、態度が横柄だったりした場合は、別の業者を当たることをおすすめします。

家賃の目安は月収の3分の1
新生活のイメージをしっかりもって借りる

家を借りるときの家賃の目安は、一般に、どんな物件でも手取り収入のおよそ3分の1です。収入以上の物件に住もうとするなら、かなりきちんとした連帯保証人をつけるとか、友人やきょうだいとシェアして部屋を借りるというような工夫が必要でしょう。保証会社を入れるか、保証人が必要となります。その詳細は88ページで述べているので、参考にしてください。

離婚後に家を借りることは、あなたのこれからの生活のしかたをも左右する大切な作業です。これから子どもとどんな生活を送っていきたいかをできるだけ具体的に思い描き、そのイメージに沿った住まいを整えることをめざしましょう。

部屋を借りるときに必要な費用

費用名	料金目安	説明
礼金	賃料の0～2か月分	おもに関東でかかる初期費用。大家さんへのお礼として支払う。関西では、「敷引き」という礼金と更新料が合体したお金が必要な場合がある。
敷金	関東 賃料の1～3か月分 関西 賃料の3～5か月分	家賃の滞納時や退去時に支払う補修費用として、大家さんに預けておくべきもの。退去時に補修費用を差し引いて返金されることが多い。
前家賃	賃料の1か月分＋契約時から派生する日割り家賃	契約時から次の家賃の支払日までに大家さんに支払っておくお金。
仲介手数料	賃料の最大1か月分	部屋を仲介する不動産会社に支払う手数料。宅地建物取引業法では、最大で家賃の1か月分と決められている。以前は多くのところで家賃1か月分をとられていたが、最近は、半額、もしくはとらない不動産会社も多数、出てきている。
保険料	1万2000～5万円	部屋の火災保険料（通常は2年分）。近年は地震保険料が付帯する場合もある。
その他		近年は、鍵交換費用などが発生するケースもある（金額は鍵のグレードによって幅がある）。

収入とともに保証人が大事!!

シングルマザーとなった人たちの半分以上が、新しく家を借りて住んでいますが、じつはそれを実現するのはかなり大変です。

シングルマザーの場合、一般に収入が少ないのに加えて、アルバイトやパートなどの場合が多く、社会的な信用があまり高くないとみなされることが多いからです。そのため、家を借りる際には信用度の高い保証人が必要となります。

家賃の補てん能力がいちばんのキメテ!

では、どんな人が保証人にいいかというと、会社に勤めているなど安定した収入がある親族で、あなたが住もうとしている物件の近くの持家に住んでいる人がベストです。なぜなら、借家のオーナーが求めているのは、あなたが家賃を滞納したとき、それを補てんしてもらうことができ、かつ、滞納が続くようなら、あなたに直接会って部屋を出ていくように説得してもらうことだからです。学生時代に下宿を借りるときは、親が保証人になるケースが多かったと思いますが、それは親が若かりし日のこと。高齢で、退職して仕事もなく、住まいが賃貸で、遠くに住んでいる親は、保証人として認めてもらえない場合が多いので注意しましょう。そのため、兄弟や近くに住んでいる親族を保証人にする場合も多く見受けられます。

経験談

保証会社を使って連帯保証人をクリアーしました

ひとりっ子で親族が近くに住んでいなかった私は、保証会社に連帯保証人になってもらうことで賃貸契約を結びました。不動産会社が保証会社の代理店、もしくは取扱店になっていることが大前提ですが、回答は2～3日で出ます。賃貸業者にあらかじめ聞いてみるといいと思います。

新しい家族と出会う子どもたちの物語

ステップキンと 7つの家族

再婚と子どもをめぐる物語

ペギー・ランプキン著

中川雅子訳　永田智子絵

A5判上製・144ページ

定価：本体1700円＋税

978-4-8118-0719-5

親の離婚に悩み、再婚家族との新しい生活にとまどう子どもたちに、妖精ステップキンが語りかけます。キミが悩むのは当然だよ、でも、きっとうまくやれる方法があるよ、と。各章に大人むけのガイドページがあります。魅力にあふれた挿画50点とともに。

●おもな目次

ご注文の方法

全国の書店で取り扱っています。
お急ぎの方は当社へ直接どうぞ。代金引換の宅急便でお届けします。
送料・手数料
（1）代金1500円未満は530円、
（2）1500円〜1万円未満は230円、
（3）1万円以上は無料です。
郵便振替でのお申し込みも承ります。

太郎次郎社エディタス

〒113-0033
東京都文京区本郷3-4-3-8F
電話 03-3815-0605
ファクス 03-3815-0698
Eメール tarojiro@tarojiro.co.jp
webサイト http://www.tarojiro.co.jp

シングルマザー　離婚
再婚　ステップファミリー

太郎次郎社エディタス

ブックガイド

離婚・再婚後の生活と子育てをサポートする本

いま、離婚は年間23万件。うち14万組が、未成年の子どもがいる夫婦です。シングルマザー、再婚家庭（ステップファミリー）も急増中。新しい家族との関係、離れて暮らす親と子の関係をどうつくるか。生活をどう組みたてていくか。日々の悩みに役立つ本をご紹介します。

不動産屋さん、大家さんはココをチェックしている！

賃貸借申込書の書き方アドバイス

家を借りる際、不動産屋さんに行くと、まず最初に書かされるのがこの申込書。どんな部分をチェックされるのか、ポイントを解説します。

本人の勤務先と年収

家賃を支払う力があるかどうかをチェックされるのが、この部分。どんな物件でも賃貸の場合、家賃は月収の3分の１以下であることが目安となっています。

契約者と保証人との関係

あなたが家賃を滞納したとき、親族ならあなたを説得し、退去させてくれると不動産会社は考えます。親や兄弟などならそれが可能だと判断されます。

保証人の年収

家賃滞納時に未払いの家賃を補てんできる能力があるかどうかをチェックされます。収入がゼロでも、持ち家など財産があれば、補てん能力があると判断されます。

賃貸借申込書
（個人用）

物件名	さくら アパート		302 号室	担当者	鳥井.	
家賃	78000 円	管理費	7000 円	敷金 2ヶ月	礼金 1ヶ月	

契約者	フリガナ	なかむら　はなこ	(S)H 44年 6月10日生		
	氏名	中村　花子	男・(女)	年齢	36才
	現住所	文京区 ○○町 ○番地.	自宅電話	03-3816-0000	
	本籍地	東京都	携帯電話	090-3812-△△△	
	勤務先	○○商事株式会社	会社電話	03-3005-0000	
	所在地	新宿区 △△町 3-○-○	業種		
	資本金	―― 万円	年収 240万円	役職	取引銀行

入居者	氏名	年齢	続柄	勤務先又は学校名
	中村　花子	36才	本人	○○商事株式会社
	中村　幸治	7才	長男	

連帯保証人	フリガナ	なかむら　じろう			契約者との関係	
	氏名	中村　次郎			父	
	生年月日	S18年　月　日生	(男)・女	年齢 63才	本籍地	埼玉県
	現住所	○○市 ○○町 ○○番地.			自宅電話	048-322-0000
	勤務先	株式会社 △△△			会社電話	03-5225-△△△△
	所在地	板橋区 ○○町 11-△-△			業種	食品メーカー
	資本金	―― 万円	年収 600万円	役職 課長	取引銀行	

上記の内容と契約内容が相違した場合、及び申込内容が不明の場合は、契約をお断り致します。

連帯保証人様には確認のご連絡を致します。

申込内容と相違なく、上記物件の入居を申込致します。

平成○年 ○月 ○○日

申込人　中村　花子　　印

その他のチェックポイント

●親族で、家賃の補てん能力があり、きちんとした保証人であっても、遠くに住んでいるのでは問題が起きたとき、顔をつき合わせて話すことがなかなかできません。そのため、保証人はできるだけあなたが借りる家の近くに住んでいる人が求められます。

●ある不動産屋さんによると、きちんとした保証人がいなくても、勤務先が一流企業の場合、家賃の支払い能力が本人にあると判断されることもあるそうです。

●ただし、不動産屋や大家さんが古い観念をもち、すべての母子家庭が貧乏で不安定なものだといった偏見をもっている場合は、勤務先がどんな企業でも入居を断られる場合もあります。そんな場合は、固執せず、めげずに違う業者を当たりましょう。不動産屋さんはほかにもたくさんいます。

母子家庭の住宅優遇制度を利用する

各自治体が運営する公営アパートへの抽選が優遇されます

母子家庭のための公的な住宅支援で、注目すべきは、公営アパートの優遇制度です。

通常年2回ある一般入居希望者の抽選会とは別に、年1回だけ母子家庭のみの特別抽選をおこなったり、抽選回数は一般募集と同じでも、当選確率を優遇してもらえたりする優遇制度で、全国の各自治体でおこなっています。

収入基準や家賃などは一般の人と同じ場合がほとんどですが、もし入居できたなら、民間の賃貸物件より家賃は圧倒的に安いので、トライしてみる価値は十分にあります。

利用したい人は各市町村の児童福祉課か、もしくは住宅供給公社募集課へ問い合わせてみてください。

これから先ずっと、賃貸物件に住みつづけていくつもりなら、民間の物件に住みながらチャレンジしてみてもいいと思います。

抽選回数が増えれば増えるほど、当選する確率は高くなっていきます。

公営住宅とは？

公営住宅は、公営住宅法にもとづき、地方公共団体が建設し、低所得者向けに賃貸する住宅（集合住宅）のことです。地方公共団体が「市民住宅」などの名で中堅所得者などを対象に賃貸住宅を運営しているものもありますが、これらは別のものです。募集期間を設けて書類審査をおこない、申し込みが多い場合は抽選となります。審査基準は、1.申請地区に3年間居住していること、2.同居家族がいること、3.所得が定められた基準であること、4.住居に困っていること、5.申込者(同居親族を含む)が暴力団員でないこと、です。

ひとり親・障害者・多子などの世帯や、とくに所得の低い一般世帯については、抽選によらず、書類審査や実態調査をしたうえで、住宅に困っている度合いの高い方から登録し、空家ができるたび、登録順位の上位の方に住宅を提供しています。

経験談

母子生活支援施設から都営住宅に引っ越しました

お風呂がついているから、遅く帰ってもいつでも入れる

離婚直後は、母子生活支援施設に住んでいましたが、その後、都営住宅の応募に当選しました。

現在は子どもと二人でつつましいながらも楽しく暮らしています。建物は古いけれど、お風呂がついているので、遅く帰ってきてもいつでも入れるのがいちばん助かっています。

以前住んでいた母子生活支援施設は、お風呂の順番をとるのも大変で、うまくとれないときはコインシャワーで過ごしていました。いまは、まさに住めば都。

ここで暮らしながら節約して、子どもの教育費を貯蓄しようと思っています。

経験談

2年前に建てかえられた県営住宅に住んでいます

近隣のおつきあいは大変だけど、新物件は住み心地良好

離婚して15年、ずっと県営住宅に住んでいます。以前は建物が古く、ＡＤＳＬも使うことができず不便でした。

しかし、２年前に建てかえられてからは、エレベーターもつき、ＡＤＳＬ回線が引かれネットやメールも可能になり、住み心地は格段によくなりました。

ただし、自治会など近所づきあいはいろんな人がいるので、大変です。とくに自治会の役員は定期的に回ってくるので、覚悟が必要です。

最近は入居者に、母子家庭の人が増えているような気がします。

母子生活支援施設の現状

最後のライフネットとして活用を！

母子生活支援施設は、児童福祉法に基づいてつくられた施設で、母親とその子ども（18歳未満が原則）が住まいとして利用できます。

入所は、夫との離別や死別により経済的に生活が困難な場合や、母親の生活能力・養育能力が不足している場合などに可能とされていますが、近年は、未婚女子や、夫の暴力（ＤＶ）やサラ金からの借金などにより家庭崩壊が起こり、生活するのが困難になり、情緒が不安定になった母子の利用が急増しています。そのため、性格の不一致や、夫の不倫などという一般的な理由が原因の離婚では、入所がなかなか困難になっています。

また、プライバシーは保障されていますが、さまざまな境遇のいろんな親子が一緒に暮らしていくため、内部で揉めごとが起きることもしばしばあるようです。

日本全国にある母子生活支援施設は、母子の自立と生活支援をしているため、施設には24時間体制で職員（母子指導員や少年指導員など）が常駐。母親に対する相談援助（心理カウセリングなどもある）や、生活指導（仕事や公営住宅のあっせんなど）、緊急保護（ＤＶ夫からの避難）などをおこなう一方で、子どもに対しては保育（病気のときに見てもらうこともできる）や学習指導、各種のクラブ活動や季節のイベントなどもおこなっています。

与えられる部屋は、６畳一間に簡単なキッチンがついた質素なものから、２ＬＤＫバストイレつきといった豪華なものまで、施設によりピンからキリとなっています。また、自治体によってその数は差があります（左ページ参照）。

入所は随時可能ですが、最寄りの福祉事務所の窓口へ申請し、許可されることが必要です。また、家賃は母親の所得によって違い、生活保護を受けている家庭の場合、通常ゼロとなります。さまざまなことを考えあわせると、あくまでも、最後のライフネットと考えて利用し、生活のめどがたったなら、自立する覚悟で臨むというのがおすすめです。

調査名：平成28年社会福祉施設等調査

東京都が圧倒的に多い
母子生活支援施設の数

2016年　都道府県別・母子生活支援施設数

都道府県	政令指定都市・中核市						施設数
北海道 1	札幌市 6	旭川市 1	函館市 2				10
青森県 2	青森市 1						3
岩手県 0	盛岡市 1						1
宮城県 3	仙台市 2						5
秋田県 4	秋田市 4						8
山形県 1							1
福島県 2	郡山市 1	いわき市 0					3
茨城県 3							3
栃木県 2	宇都宮市 1						3
群馬県 1	前橋市 1	高崎市 1					3
埼玉県 3	さいたま市 1	川越市 0	越谷市 0				4
千葉県 2	千葉市 1	船橋市 1	柏市 0				4
東京都 33	八王子市 1						34
神奈川県 1	横浜市 8	川崎市 1	相模原市 1	横須賀市 0			11
新潟県 2	新潟市 2						4
富山県 0	富山市 1						1
石川県 1	金沢市 1						2
福井県 1							1
山梨県 1							1
長野県 3	長野市 1						4
岐阜県 1	岐阜市 2						3
静岡県 0	静岡市 1	浜松市 1					2
愛知県 5	名古屋市 5	豊橋市 1	豊田市 1	岡崎市 1			13
三重県 5							5
滋賀県 1	大津市 1						2
京都府 1	京都市 3						4
大阪府 3	大阪市 4	堺市 1	高槻市 0	東大阪市 1	豊中市 0	枚方市 0	9
兵庫県 2	神戸市 7	姫路市 1	西宮市 1	尼崎市 1			12
奈良県 2	奈良市 1						3
和歌山県 4	和歌山市 1						5
鳥取県 5							5
島根県 1							1
岡山県 0	岡山市 1	倉敷市 1					2
広島県 4	広島市 4	福山市 1	呉市 1				10
山口県 1	下関市 0						1
徳島県 2							2
香川県 0	高松市 1						1
愛媛県 5	松山市 1						6
高知県 1	高知市 1						2
福岡県 5	北九州市 2	福岡市 2	久留米市 1				10
佐賀県 3							3
長崎県 1	長崎市 1						2
熊本県 0	熊本市 2						2
大分県 2	大分市 1						3
宮崎県 2	宮崎市 1						3
鹿児島県 4	鹿児島市 4						8
沖縄県 2	那覇市 1						3
合計							228

施設の運営は各自治体によっておこなわれるため、その自治体の財政状況や方針によって、施設の内容やサービスなどはバラつきがあるのが現状です。入居する意志が決まったら、入るまえにかならず見学をしておきましょう。

母子生活支援施設　ケース①

二度と戻りたくない！母子寮での生活

サラ金からの借金で夫が行方不明となり、取りたてから逃げまわる毎日でした。だから母子生活支援施設に入れたときは、本当にありがたかったです。入居できた晩に、久々にゆっくり眠ることができ、ほっとしたのをいまでも覚えています。

でも、それもつかの間。女性ばかりの集合住宅では、ねたみや嫉《そね》みなど、いろんな感情が渦巻いていて大変でした。子どものことを考えて、ずっと我慢していましたが、ついに堪忍袋の緒が切れ、１人の女性と喧嘩をしたこともありました。幸運なことに入所から３ヶ月で公営住宅に当選したため、比較的すぐに出ることができましたが、いま振り返ってみても、二度と戻りたくありません。

母子生活支援施設　ケース②

職員のサポートが心強い住まいでした！

私がお世話になっていた母子生活支援施設は、日中は常時10人くらいの職員の方がいて、部屋とはインターフォンがつながっているので、体調に変化があるときも頼りになりました。

小学生は宿題がある日もない日も、職員の方が集会所を使って勉強会を毎日開いてくれました。

女子大学生によるクッキーをつくって楽しむ会やクリスマスコンサートなど行事も毎月あり、楽しめました。

それから、毎週水曜は寄贈といって企業からのお菓子やパン、野菜やフルーツなどの提供もありました。お掃除の点検、共有部分のお掃除当番、母の会という自治会活動などは面倒でしたが、快適に暮らすためには必要なことなので、私はあまり苦になりませんでした。

母子生活支援施設 ケース③

共通の体験をした者たちが集まって住む安心感

夫の暴力から逃れるため、やむなく、女性生活支援施設に入りました。それまでは、母子寮は暗くて暮らしにくいところだと思っていたので、入居時は悲しかったですね。

けれども、住んでみて、考えを改めました。

入居者はみんな、同じような生活の極限を経験してきた人ばかりなので話も合い、集会室などでときおり開かれるイベントでは、和やかな時間が過ごせました。

なにより助かったのは、子どもが水ぼうそうになったとき、私のかわりに職員の人が看病してくれたこと。長いあいだ仕事を休まずにすみ、本当にありがたかったです。いまは自立して、賃貸アパートに住んでいますが、職員のかたがたのサポートのおかげで、いまも同じ職場に勤めています。

生活スペースはこんな感じ！

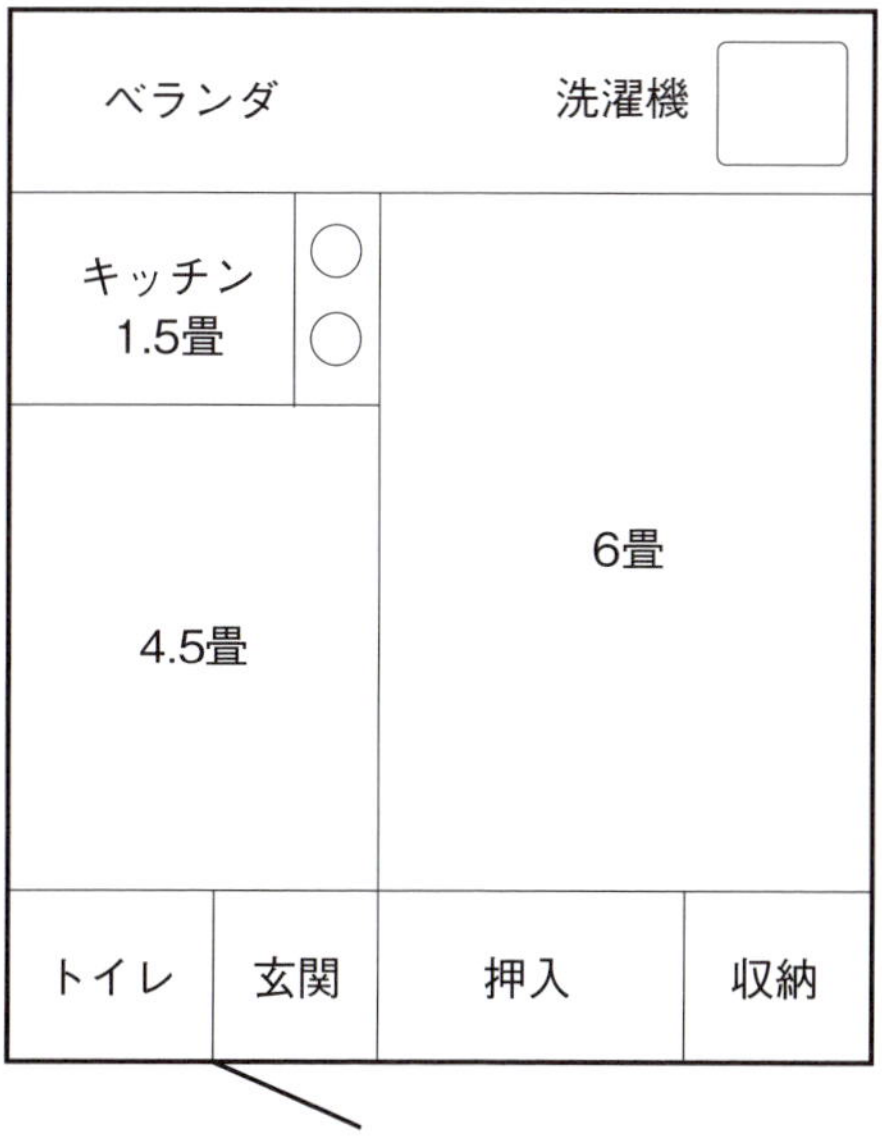

2K（東京都内の施設Bの場合）
お風呂は施設内で共同だが、トイレは各室にある。ベランダも広く、洗濯機を設置することが可能。収納スペースもきちんと設けられてあり、小さな子ども2人ぐらいなら、母子で比較的快適に住むことができる。

※あくまでも１例ですので施設によって差があります。

DVなど緊急避難施設の紹介

あくまでも一時的な居場所と考えて!!

緊急避難施設は、まえのページで紹介した母子生活支援施設に空室がなく入れない場合で、夫のDVなどが原因で、早急に現在おかれた環境から離れて生活できるようにしたいと思ったときに利用できる施設です。現在は各自治体が運営している公的なものと、NPOなどが運営している民間のものがあります。

公的な施設の代表的なものは、各自治体が緊急一時保護事業の一環として運営している「宿泊提供施設」や、配偶者暴力防止法による「婦人保護施設」です。いずれも、福祉事務所や婦人相談所などの窓口に申し込み、緊急避難が必要と認められた場合、入所が可能となり、空室さえあればその日のうちに、何も持たずに身ひとつで入ることが可能です。自治体によっては、ホテルの費用を負担し、必要な保護や相談、援助をおこなっているところもあります。

また、民間団体が運営している「民間シェルター」は、２０１６年4月現在で全国に93施設あります（左ページ参照）。なかには、保護した母子の安全を確保するため、所在地が非公開になっている施設もあります。

いずれの施設も、利用を希望する場合には、まず最寄りの福祉事務所へ問い合わせてみましょう。入所のしかたを教えてくれるだけでなく、相談にのってもらうことができます。

国や民間などでも、生活の保護だけでなく、子どもの預け場所や新たな住まい・就職のあっせんなど生活の自立支援や、カウンセリングなど心身のケアなどがおこなわれています。

ただし、こうした場所で暮らせるのは、いずれも１〜３ヶ月ぐらいが限度。あくまでも一時的な避難場所として考えなければならならないのが現実です。

DV被害者の一時保護委託

○ 2002年度に一時保護委託制度を創設。

○ 2015 年度における一時保護委託人数は、DV ケース以外をふくめて、3,299 人（女性本人 1,512 人、同伴家族 1,787 人）、平均在所日数 16.1 日となっている。

○ 一時保護の委託契約施設については、2016年4月1日現在で325施設。

DV法第3条第4項にもとづく一時保護の委託契約施設数（2016年4月1日現在）

施設区分	母子生活支援施設	民間団体	児童福祉施設（※）	婦人保護施設	老人福祉施設	身体障害者施設	知的障害者施設	保護施設	その他	合計
か所数	104	93	53	22	14	13	13	9	4	325

（※）母子生活支援施設をのぞく　　厚生労働省調べ

東京都内の緊急一時避難施設

母1人、子ども2人の場合に与えられる部屋の一例

◀部屋の内部には、布団をはじめ、テレビ、洗濯機、冷蔵庫、こたつ、キッチン用具、食器類など最低限の生活に必要な備品が設置されている。取材した施設の場合、入浴は共同浴室で、夜45分間でシャワーのみの利用が50円、古い浴槽の利用が100円、新しい浴槽が150円と3段階に分かれていた。施設内には児童室もあり、2組の親子が遊んでいる姿が見られた。ボランティアの協力により、納涼祭やハイキングなど年に数回、イベントも開始されている。

新しい暮らしの選択肢❶

シングルマザー向けシェアハウスが全国各地に登場！

ペアレンティングホームプロジェクト代表の**秋山怜史**さん

近年、シングルマザー向けのシェアハウスが全国各地でオープンしています。

このようなシェアハウスが最初に登場したのは、２０１２年３月。神奈川県川崎市の「ペアレンティングホーム高津」でした。このシェアハウスをオープンさせた一級建築士の秋山怜史さんは、その動機をつぎのように語ります。

「建築士として、私は新しい社会のしくみをつくり、人びとが共感する暮らしの選択肢を増やしていくことで、人びとの生活が豊かになると考えています。ペアレンティングホームは、そうした選択肢のひとつです。日本では仕事と子育てを楽しく両立するのが難しく、なかでもひとりで子育てをしているお母さんはほんとうにたいへんです。そこで、まずはシングルマザーに向けて、新しい暮らし方の提案をしてみたいと思ったのです」

秋山さんの運営するペアレンティングホームは、見学して気に入ったら、その時点で仕事がなくても、前家賃として3か月分を支払えば、保証人なしで入居が可能です。また、共益費の範囲内で、週に一度、シッターさんが来訪し、子どもたちの面倒をみながら夕食の準備をしてくれます。まさにシングルマザーにとっては、夢のような賃貸住宅といえます。「高津」がオープンするやいなや話題となり、全国にこのようなシェアハウスが少しずつ登場しはじめました。現在は、企業が人材確保のためにシングルマザー向けの住まいを提供している事例もでてきています。

シングルマザー向けシェアハウスの利点は、たんに仕事と子育ての両立だけにとどまりません。複数の家族が同居するため、子どもがきょうだいのように育つ貴重な経験ができます。また、お母さんにとって、同じ境遇のママ友仲間ができるのは、なにより心強いことではないかと思います。

もちろん、いいことばかりではありません。共同生活をしていくうえでは、一定のルールを守らなければなりませんし、価値観の異なる人間がいっしょに暮らすので、さまざまなトラブルも起こります。秋山さんの運営するシェアハウスでは、定期的に秋山さんら運営者が巡回し、そのときどきの問題を入居者と話し合いながら解決しているそうです。いずれにしても、入居するかどうかかは、こうしたシェアハウスのメリット、デメリットをしっかりと把握したうえで、自身の性格や家族の状態などと照らしあわせて決める必要があるでしょう。

上／共同のダイニングでは入居者どうしの交流が生まれる。
下／子どもたちがきょうだいのように育つことも魅力のひとつ。

オープンから5年が経ち、秋山さんが運営するペアレンティングホームは現在4棟。加えて、ほかの事業者が手がけるシェアハウス立ち上げの支援もしています。これまで入居したお母さんたちの感想を秋山さんにうかがうと、「いいリハビリ施設だった、と言って、卒業していく人が多い」とのこと。たしかに離婚直後のシングルマザーの多くは、結婚に失敗したことで自信を喪失しているので、元気をとりもどすまで同じ境遇の仲間と暮らすのは、大きな癒しになるのかもしれません。

オープンしてからこれまでに、ペアレンティングホームから卒業していった親子は約１００世帯。なかには、シェアハウスでの暮らしが性分に合わないため、引っ越していった家族もいるそうですが、「子どもが大きくなってもう一部屋ほしくなった」「パートナーができたから」という理由で引っ越した家族が多いとか。興味がある方は、離婚後の住まいの選択肢のひとつとして、考えてみてはいかがでしょう。

ペアレンティングホーム　3つの物件例（2017年10月現在）

●ペアレンティングホーム合掌苑（東京都町田市）

日本初の職員寮型ペアレンティングホーム。介護施設を運営する一般社団法人合掌苑が整えた物件。合掌苑での就職が入居の条件のため、「仕事」と「住居」を同時に手にできる。職員寮だけにほかのホームより部屋も広めで、賃料も格安。

共同キッチンの例（合掌苑）

DATA

部屋数：5（11.1～11.6畳）
賃料：¥35,000
共益費：¥10,000
※キッチン1、浴室・洗面脱衣室各2。チャイルドケアサービスあり

個室の例（玉川学園）

●ペアレンティングホーム阿佐ヶ谷（東京都杉並区）

キッチン1、浴室・トイレ・洗面所各2を共同で使用。チャイルドケアサービスがあり、週2回程度、清掃業者がクリーニングもしてくれる。JR中央線阿佐ヶ谷駅から徒歩6分という駅近物件。

DATA

部屋数：5（10.9～20.6㎡）
賃料：¥80,000~102,000
（デポジット¥35,000）
共益費：¥30,000（ガス・水道・電気・インターネット利用料・チャイルドケアサービス）※子ども1名増あたり共益費＋¥10,000

●ペアレンティングホーム玉川学園（東京都町田市）

各室にキッチン、浴室、トイレを備えたアパート型のペアレンティングホーム。チャイルドケアサービスはないが、プライバシーはほかの物件より保てるのがメリット。小田急小田原線玉川学園駅から徒歩12分の見晴らし良好な丘の上にある。

DATA

部屋数：6（18.5～20.6㎡）
賃料：¥41,000~49,000
（デポジット¥32,400）
共益費：¥7,000
※チャイルドケアサービスはなし

シングルマザー向けシェアハウスが集まるサイト「マザーポート」

ペアレンティングホームを運営する秋山さん（前ページ）が発起人のインターネットサイト。立ち上げたばかりのため、登録数はまだ少ないが、シングルマザーの仕事と子育ての両立を応援する、全国の物件情報を入手できる。ここで紹介されている住まいは、すべて秋山さんらペアレンティングホームとつながりのある不動産業者が管理している物件だという。

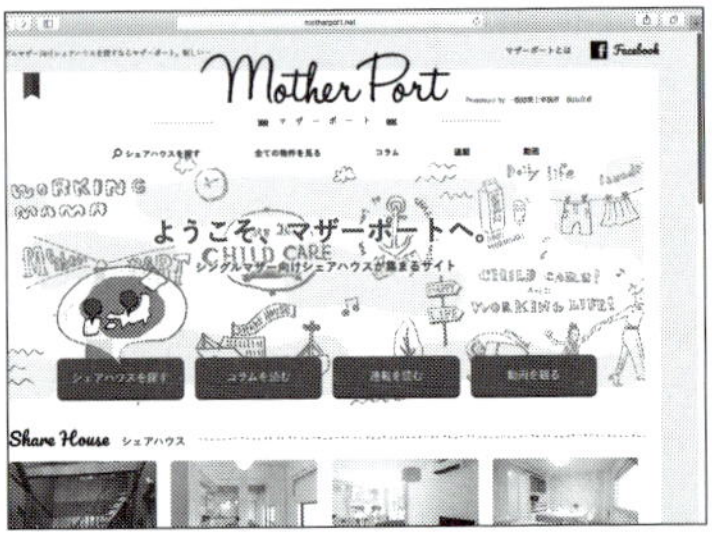

http://motherport.net/

新しい暮らしの選択肢❷

都会から離れて自然豊かな地方で田舎暮らしをはじめる

離婚をきっかけに心機一転。故郷へ帰る、あるいは自然豊かな地方で暮らす、というのも選択肢のひとつです。

全国各地の多くの自治体や団体が、ご当地への移住や地方暮らしをするためのさまざまな支援制度を設けています。住宅情報の提供だけでなく、たとえば、住宅の購入や中古物件の改修をする際の助成金制度が設けられている自治体や、移住者の意向やキャリアを加味しながら仕事の斡旋をしてくれる自治体、ファミリーでの移住に向けて手厚い子育て支援をしている自治体もあります。

もし、田舎暮らしに興味があるなら、情報収集からはじめましょう。その際、便利なのが、東京にある「認定ＮＰＯ法人ふるさと回帰支援センター」です。２００２年に創立したこのセンターは、全国の自治体の地方移住に関するパンフレットや資料を常備。具体的な地域情報を提供するとともに、各県の専属相談員による個別相談を随時受け付けています。電話での問い合わせもできますが、週末もオープンしているので、まずは足を運んでみてはいかがでしょう。センターでは、地域ごとの「ふるさと暮らしセミナー」も２０１６年実績で４１８回も開催しているので、興味のある地域のものから参加してみるのもいいと思います。同センターの利用や相談は無料で、西日本の拠点として大阪オフィスもあります。

東京オフィスは 990 ㎡のゆったりスペース。自治体のブースがずらり並び、相談も随時受け付けている。

認定NPO法人ふるさと回帰支援センター

●東京オフィス
開 火～日／10時～18時　休 月・祝
住 東京都千代田区有楽町2-10-1
東京交通会館8F
☎03-6273-4401
http://www.furusatokaiki.net/

●大阪オフィス
開 火～土／10時～18時　休 月・日・祝
住 大阪府大阪市中央区本町橋2-31
シティプラザ大阪1F
☎06-4790-3000
http://www.osaka-furusato.com/

退去費用の話

賃料の1ヶ月分が目安。それ以上なら、専門機関へ相談を!!

退去時の負担費用は、家賃の1ヶ月分くらいまでが目安

賃貸住宅の場合、やがて引っ越すときがやってきます。

そのとき案外トラブルとなるのが、「退去時の原状回復に伴う補修費の請求」です。

悪質な不動産業者や大家から、法外な請求を受けて困ったという悩みが消費者センターに数多く寄せられています。

退去時に伴う原状回復のための費用は、借主による故意の破損や汚損がない限り、家主と借主の両方で負担することが、国土交通省が出したガイドライン（『原状回復をめぐるトラブルとガイドライン』）に明記されています。

また、それに加えて、その負担率は、借主が長く住んでいればいるほど、減価償却により借主の負担は少なくなるよう指導されています。

そのため、借主が退去時に負担する費用は、家賃の1ヶ月分ぐらいまでというのが目安となっているのが現状です。

何か疑問を感じたら、消費者センターへ相談しましょう

賃貸物件を引きはらう場合は、以上のことを頭においてのぞむことが重要です。

もし、1ヶ月分以上のお金を請求され、それに疑問を感じたら、とりあえず消費者センターなどに相談してみましょう。

ちなみに東京都では、2004年10月より、「住宅の賃貸借に係る紛争の防止に関する条例」が施行されており、契約の際に、入居中の修繕や退去時における復旧の負担についての基本的な考え方と、契約の内容を説明することが不動産業者に義務づけられています。

（田中涼子）

4
章

仕事と育児、両立のツボ

大切な子どもを預かってくれる人や場所は、
かならず自分の目と耳で直接確かめる

家計を一手に担って働くシングルマザーにとって、子どもの預け先は大事なポイント。日々の預け先はもちろんのこと、子どもの発熱、残業、出張などといった突発的なケースにも臨機応変に対応するためのさまざまな預け先を紹介。ケースバイケースで使いわけましょう。

2015年4月にスタートした、新しい保育制度のポイント

新制度に移行した園と、そうでない園がある

「子ども・子育て支援新制度」のもとで運営される園には、「施設型」と「地域型保育」の2種類があり、これらは国から支給される「施設型給付」と「地域型保育給付」いうお金で運営されています。

その一方で、これまで同様、新制度に移行していない保育施設もあります。たとえば文部科学省から私学助成金を受けている私立幼稚園や、自治体の独自運営の保育所などがその一例。子どもを預けたい園が決まったら、その園がどちらの制度で運営されているのかをまず確認しましょう。

「地域子ども・子育て支援事業」は自治体ごとに異なる

新制度では「事業」もおこなわれています。その内容は、地域の実情に応じて異なります。具体的には出産や介護で子育てが大変な家庭の保護者などが利用できる「一時預かり」や、小学生の子どもを持つ家庭が利用できる「放課後児童クラブ」などがあります。各地区の事業内容は役所の窓口で知ることができます。

新制度の園の利用には「認定」が必要

新制度で運営される園に子どもを預けたい場合は、入園を申請するまえに自治体の窓口へ行き、「認定」を受けなければなりません。自治体に親の就労形態や就労時間、子どもの状況などを申告し、その家庭の子どもに他者による保育がどのくらい必要なのかを自治体に採点してもらい、「認定」を受けることで、その子が利用できる施設や保育時間が決定するのです。

一方、旧制度のままの園は、「認定」を受けなくてもよく、これまで同様、園へ直接、入園を申請します。

保育料は親の収入や子どもの数、自治体ごと異なる

保育料は新制度の園では国が決める上限枠がありますが、基本的に世帯収入が多いほど保育料は高くなります。また、保育施設を利用するきょうだいの数によっても保育料は異なります。さらに、自治体の子育て支援の方針によっても異なります。そのため、保育料は住んでいる自治体の基準に則って、施設ごとに算出する必要があり、その算出方法はとても複雑になっています。

おもな子どもの預け先

子ども・子育て支援

施設型

- 認定こども園
- 幼稚園
- 保育所

地域型保育

- 小規模保育
- 家庭的保育（保育ママ）
- 居宅訪問型保育
- 事業所内保育

地域子ども・子育て支援事業

- 一時預かり事業
- 病児・病後児保育事業
- 子育て短期支援事業
- ファミリー・サポート・センター事業
- 延長保育事業
- 放課後学童クラブ
- 利用者支援事業
- 地域子育て支援拠点事業
- 妊婦健康診査

など13事業

新制度外

自治体が認定する保育所（東京都の認証保育所など）、私学助成の幼稚園など

保育料の基本的な考え方

- 新制度内の施設や事業の保育料は、保護者または扶養義務者の住民税の合計額、認定区分にもとづき、自治体によって決定されます。
- 保育標準時間と保育短時間では保育料が異なります。
- 施設型も地域型保育も、保育料は同じです。
- 保育は小学校入学前の子どもが2人以上いる場合、幼稚園は年少から小学3年までの子どもが2人以上いる場合、第2子は半額、第3子以降は無料になります。
- 新制度外の施設については、園が決める額が保育料となります。

認定の種類

認定区分	子どもの年齢	保育の必要性	利用できる施設
1号認定	3～5歳	不要（教育を希望）	幼稚園、認定こども園（幼稚園部分）
2号認定	3～5歳	必要（保育を希望）	認可保育所、認定こども園（保育部分）
3号認定	0～2歳	必要（保育を希望）	認可保育所、認定こども園（保育部分）、保育ママ、小規模保育所

＊1　2号認定と3号認定については、保育の必要量に応じて1日の利用時間が異なります。
・就労時間が月120時間以上の場合→保育標準時間（最長11時間利用）
・就労時間が月48～120時間未満の場合→保育短時間（最長8時間利用）

＊2　幼稚園の利用時間（教育標準時間）は最長4時間（1日）です。

認可保育所

認可保育所は、保育士の数や施設の規模など、国がつくった一定の基準を満たしているので安心。子どもの保育が家庭で困難な順に入ることができるので、ひとり親家庭なら優先的に入れます。

入園申請は自治体が随時受付中。
仕事と住まいが確定したら役所の窓口へ行って相談を！

シングルマザーになったら、小さな子どもの預け先としてまず考えたいのが「認可保育所」です。家庭で保育をすることができない子どもを預かる、養護と教育の場として設けられている保育施設で、厚生労働省が管轄しています。保育士の数や施設の規模など、国の基準をクリアーしているので安心で、家庭で子どもの保育が困難な順に入園できるので、申請時期にもよりますが、ひとり親家庭は基本的に優先的に入れます。入園申請は一年をとおして自治体が随時受け付けています。離婚が確定し、住まいが決まったら、役所の窓口へ行き情報を収集しましょう。定員に空きがあるかどうか、延長保育枠の有無などの詳細も教えてもらえます。就職が決まっていなくても、期間を限定して就職が内定するまで預かってくれたり、「一時預かり」などの利用にも相談にのってくれるので、まず窓口へ行き相談をしてみましょう。

重要なのは入園申請をするまえに、かならず園へ見学に行くことです。園の保育方針や雰囲気などは園ごとに違います。園を複数見学すると、相性のいい園はなんとなくわかってくるものです。保育所は子どもが「生活の場」として長時間過ごす場所。子どもがのびのびと安心して過ごせる場かどうかをしっかり確認してから入園申請をおこないましょう。この点はどの保育施設でももっとも重要なポイントです。新制度下では、入園申請と同時に「認定」を受けることが必要となります。書類提出に際しては、必要書類に不備がないように気をつけて。生活のために働かなければならないシングルマザーは基本的には優先的に入れますが、親と同居をしていたり、ほかに子どもの面倒をみてくれる人がいる場合は、入園が難しくなる場合もあるので注意しましょう。

※保育料の算出も、親と同居していて親の収入がある場合は、その収入が加算され、世帯収入とみなされるので注意が必要です。

保育施設見学のポイント10

保育施設は、子どもが生活時間の大半を過ごすところ。その環境や保育内容によっては、子どもの安全や健康面だけでなく、健全な発達にも影響します。次に挙げた10のポイントを参考に、保育施設を見学してみましょう。

□1 情報収集をする	市区町村の保育担当課で、情報の収集や相談をしましょう。
□2 施設を見学する	子どもを入所させるまえに、かならず施設を見学しましょう。
□3 見た目だけで、施設を決定しない	キャッチフレーズ、建物の外観や壁紙がきれい、保育料が安い…など表面的なことで決めるのは、やめましょう。
□4 子どもたちがいる保育室に入って見学	見学のときはかならず、子どもたちがいる保育室のなかまで入らせてもらいましょう。
□5 子どもたちのようすを観察	子どもたちの表情がいきいきとしているか見てみましょう。
□6 保育する人を観察 ・保育する人の人数は、何人くらいか聞いてみましょう。その人数が子どもの数に対して十分かどうかを検討します。 ・保育士の資格をもった人がいるかどうか聞いてみましょう。 ・保育している人が笑顔で子どもに接しているかを見ましょう。 ・保育する人は、若い人ばかりでなく、経験豊かな人もいるか見てみましょう。	
□7 施設内をチェック ・赤ちゃんが静かに眠れる場所があるか。子どもが動きまわれる十分な広さがあるか。見てみましょう。 ・遊び道具はそろっていますか？また、外遊びをしているか聞いてみましょう。 ・陽あたり、風通し、清潔感などを確認しましょう。 ・災害時のための避難口や避難階段があるか、見てみましょう。	
□8 保育方針を聞く ・園長や保育する人から、保育の考え方や内容について聞きましょう。 ・どんな給食が出されているか、聞いてみましょう ・連絡帳などでの家庭との通信や参観の機会があるか聞いてみましょう。	
□9 預けはじめてからもチェック	預けはじめてからも、折にふれて、保育のしかたや子どものようすを見てみましょう。
□10 不満や疑問は率直に伝える	不満や疑問があったら、すぐ相談してみましょう。誠実に対応してくれるかどうかがポイントです。

※厚生労働省「よい保育施設の選び方　十か条」をもとに作成

入園までの流れ

❶情報収集&申請書を入手

役所の窓口では「保育園案内」などといった印刷物があります。読んでわからないことは、担当者に質問を。

▼

❷見学

入園したい園をリストアップ。電話で見学を申し込みます。ほとんどの園で快く受け入れてくれるはず。

▼

❸申請

保育施設入所申込書と支給認定申請書、必要書類を役所の窓口に提出。申請は一年中受け付けていますが、卒園や進級がある4月が、もっとも入園しやすい時期。入所申込書には希望の園を複数書くことができます（延長保育を希望する場合は、対応可能な園を記入）。不備がないよう記入して手続きをおこないましょう。

▼

❹認定

提出書類にもとづき、保育の必要性の有無、認定区分、保育必要量などを判定し、認定。認定証が交付されます。

▼

❺選考

各自治体が設けた選考基準に従って、入園を検討し選考します。「パートタイムよりフルタイム」「自宅療養より入院中」など、一般的な優先順位もありますが、ひとり親家庭は優先されます。

▼

❻入園内定&面接・健康診断

選考後、入園が内定すると、ほとんどの自治体で、子どもの健康診断と親の面接がおこなわれます。子どもの発育状況や性格などに加え、申請書に書いた就労状況や通勤時間などが確認されます。事実が書類と違っていたりすると、入園を取り消される場合もあるので要注意。

▼

❼入園

ほとんどの園で、子どもが慣れるまで、はじめは午前中だけ、その後少しずつ保育時間を延ばしていく「慣らし保育」がおこなわれます。すぐにフルタイムで働きたい場合は園に相談しましょう。

認定こども園

認定こども園は、保護者が働いている・いないに関わらず、入園を希望するすべての就学前の子どもを受け入れる施設です。幼稚園と保育所の両方のよいところが活かされた施設として、注目を集めています。

自治体ごとにさまざまなタイプがある。実際に見学に行き、確認してから決めよう。

少子化による幼稚園の定員割れや、働く母親の増加による保育園の待機児童の増加問題を解決する方法として、２００６年から設置されたのが、「認定こども園」です。幼稚園と保育所などのうち、就学前の子どもに幼児教育・保育を提供し、地域における子育て支援をおこなうというふたつの機能を備え、認定基準を満たす施設が、都道府県知事から認定を受け、「認定こども園」として運営されています。

地域の実情に応じて、次のようなさまざまなタイプがあります。

●幼保連携型

認可幼稚園と認可保育所とが連携して、一体的な運営をおこなうことにより、認定こども園として機能を果たすタイプ。

●幼稚園型

認可幼稚園が、保育に欠ける子どものための保育時間を確保するなど、保育所的な機能を備えて認定こども園としての機能を果たすタイプ。

●保育所型

認可保育所が、保育に欠ける子ども以外の子どもも受け入れるなど、幼稚園的な機能を備えることで認定こども園としての機能を果たすタイプ。

●地方裁量型

幼稚園・保育所いずれの認可もない地域の教育・保育施設が、認定こども園として必要な機能を果たすタイプ。

（以上、文部科学省・厚生労働省「幼保連携推進室」サイトより）

郵 便 ハ ガ キ

料金受取人払郵便

本郷局承認

1535

差出有効期間
2019年(H31)
2月15日まで

1 1 3 8 7 9 0

(受取人)

東京都文京区本郷3-4-3-8F

太郎次郎社エディタス行

●ご購読ありがとうございました。このカードは、小社の今後の刊行計画および新刊等の
ご案内に役だたせていただきます。ご記入のうえ、投函ください。 案内を希望しない→□

〒

ご住所

お名前

☎

E-mail

男・女 歳

ご職業(勤務先・在学校名など)

ご購読の新聞	ご購読の雑誌

本書をお買い求めの書店	よくご利用になる書店
市区 町村 書店	市区 町村 書店

お寄せいただいた情報は、個人情報保護法に則り、弊社が責任を持って管理します

書名［　　　　　　　　　　　　　　　　　　　　　　　　　　　　］

●―この本についてのご意見・ご感想を　　　　恐れ入りますが、書名をご記入ください

お寄せいただいたご意見・ご感想を当社のウェブサイトなどに、一部掲載させていただいてよろしいでしょうか？　（　可　　匿名で可　　不可　）

この本をお求めになったきっかけは？

●広告を見て　●書店で見て　●ウェブサイトを見て　（　　　　　　　　　　）
●書評を見て　●DMを見て　●その他
よろしければ誌名、店名をお知らせください。

☆小社の出版案内をご覧になってご購入希望の本がありましたら、下記へご記入ください。

購入申し込み書

宅急便の代金引き換えでお届けします。オモテ面の欄に電話番号も忘れずお書きください。このハガキが到着後、2～3日以内にご注文品をお届けします。送料は、商品総額1500円未満530円。1500～1万円で230円。1万円以上の場合はサービスです。

(書名)	(定価)	(部数)

認定こども園の具体的な認定基準は、文部科学大臣と厚生労働大臣が協議して定める「国の指針」を参酌して、各都道府県が条例で決めます。そのため自治体ごとに認定基準は微妙に違っています。子どもを認定こども園に入れようと思ったら、その基準が最寄りの保育所や幼稚園とどのように違っているのかを確認しましょう。

認定こども園を利用する場合は、「認定」を受ける必要があります。そして、その認定区分により、入園申請の方法が異なります。１０５ページで見たように、政府は3つの認定区分を設けていますが、1号認定の場合は直接園に申し込みをして、園を通じて支給認定の申請、支給認定証の交付を受け、園と契約を結びます。けれども、2号と3号認定の場合は、保護者が直接、市町村に保育の必要性の認定申請と利用希望施設の申し込みをすることが必要です。認定後、市町村が利用調整をおこない、入園できる園を保護者に通知。それを受けて保護者が利用園と契約をします。延長保育の申請も入園申請と同時に申し込むことが必要です。

保育料は認可保育所と同じで、保護者の所得に応じ、国の基準を上限として、地域の実情に応じて市町村が設定した金額を支払います。ただし、園によっては実費分や、通常よりも手厚い教育体制を整えているために必要となる経費を別途徴収する場合もあります。また、新制度下における施設型給付が国から支給されるため、幼稚園就園奨励費補助の対象にはなりません。そのため、場合によっては保育所より料金が高くなる場合もあるので注意が必要です。

最寄りの認定こども園のタイプや、問い合わせ先などは各自治体の担当部署に直接問い合わせをしてください。以下のサイトでも確認することができます。

●認定こども園　各都道府県の情報
http://www.youho.go.jp/index.html

認定こども園の数
(2017年4月1日現在)

合計数	5081件
公私の内訳	
公立 私立	852件 4229件
類型別の内訳	
幼保連携型 幼稚園型 保育所型 地方裁量型	3618件 807件 592件 64件

幼稚園

幼稚園は家庭で保育が可能な子どものための施設です。そのため給食やおやつは既製品が多いのが現実。教育方針はもちろんですが、昼寝をする場所があるかなど、長時間保育に適した環境かどうかを確認しましょう。

ひとり親家庭では預かり保育の利用が必須。
長時間保育に適した環境か、保育料の総額も確認を！

幼稚園は文部科学省が管轄している教育施設です。家庭で保育をすることが可能な子どものための施設なので、基本的に保育対象年齢は3～5歳児で、保育時間は通常4時間が標準となっています。

しかし、女性の社会進出の増加や社会の核家族化にともなって、現在ではほとんどの幼稚園で「預かり保育」がおこなわれています。預かり保育は通常保育が終了したあと、午後5時～6時くらいまで子どもを保育してくれるもので、多くの園では子どもをひとつの教室に集めて、自由遊びなどを中心に保育をおこない、おやつも与えてくれます。また、園によっては3歳児保育をスムーズにおこなうため、2歳児クラスを設けているところもあります。

利用するための申し込み方法やシステム、料金などは園ごとにさまざまなので、利用したい場合は入園前に確認しておきましょう。

とくに、ひとり親家庭が幼稚園を利用する際は、預かり保育の利用は不可欠なので、園選びをするときに欠かせないのは、夏休みや冬休みなど園が長期休暇のときの対応です。また、家庭的な保育を目指している認可保育所と違い、幼稚園では昼寝のスペースがない場合もあります。長時間保育に子どもが耐えられる環境かどうかも確認しておく必要があります。

このほか、２０１５年4月からスタートした、新しい子育て支援制度に加入しているかどうかの確認も重要なポイント。加入している園は２０１７年4月時点で私立幼稚園の場合は全体の2割程度といわれていますが、その場合は、最初に解説したように、自治体からの「認定」を受けなければなりません。新制度に加入している園でも、これまでと同様に、園に直接入園を申し込みますが、その後、入園を承諾した園が自治体に認定申請をおこなうかたちで、認定を受けることになります。預かり保育利用の有無の確認は、入園申請時におこなうことが必要です。

新制度が施行されて以来、私立幼稚園の保育料は新制度に加入している園と、加入していない園では計算方法も変わり、その総額も異なるので注意が必要です。

たとえば、私立幼稚園の場合は、新制度に加入している園では、自治体の就園奨励金を受けられず、預かり保育時の保育料も別途かかります。しかし、新制度に加入していない私立幼稚園の場合は、文部科学省から私学助成金を受託したうえで、就園奨励金も受けることもできるため、場合によっては新制度に加入していない園のほうが、保育料が安くなることもあります。園選びでもっとも重要なことは子どもが安心して快適に過ごせる場所であるかどうかですが、子どもとの生活を維持するうえでは、保育料も大事なチェックポイント。入園前にしっかり確認をしておきましょう。

幼稚園の入園までの流れ（新制度内の園の場合）

1. 入園したい園に直接利用を申し込み。申込期限や必要書類、入園者の決定方法などは園によって異なりますので、希望する園に問い合わせてみましょう。預かり保育の有無の確認も忘れずに

▼

2. 園から入園の内定を受ける

▼

3. 園をつうじて支給認定（1号）を自治体に申請

▼

4. 園をつうじて自治体から認定証が交付される

▼

5. 園と契約し、入園

＊新制度外の園を利用する場合は、認定の手続きは必要ありません。
園の手続き方法に従いましょう。

家庭的保育 & 小規模保育

自治体から認定された保育者が自宅などで子どもを預かる「家庭的保育」。少人数で子どもを保育する「小規模保育」。どちらも規模が小さいので家庭的な雰囲気。自治体ごとに設置基準や内容が異なります。

認可保育所や認定こども園へのつなぎとして考えたい新制度下の「地域型保育」

0～2歳児の子どもで、認可保育所や認定こども園に入れない場合に考えたいのが、「地域型保育」としておこなわれている「家庭的保育」（保育ママ）と「小規模保育」です。「家庭的保育」は、自治体が認定した家庭的保育者の自宅で、小学校就学前の乳幼児を預かってくれる制度です。保育者は各自治体が設けた一定の条件（年齢や一定の資格）を満たした人（家庭的保育者と呼ばれる）で、家庭的保育者1名が預かることができる子どもは原則3人以内。家庭的保育者が補助者を雇用した場合は、5人まで預かることができます。保育時間は1日につき8時間が原則となっています。一方、「小規模保育」は0～2歳児を対象とした保育で、定員が6人以上19人以下の少人数でおこなわれます。新しい子育て支援制度下により新設された施設で、定員が5人以下の「家庭的保育」と、定員20人以上の「認可保育所」の中間に位置します。

「家庭的保育」も「小規模保育」も利用するには「3号認定」となることが必要です。しかし、その保育内容やシステム、設置基準や保育料は、地域ごとに異なります。入園の際にはかならず自治体の窓口へ行って情報を収集し、見学をしてから入園申請をしましょう。

地域によっては3歳以上を預かる「家庭的保育」もありますが、どちらも施設の規模は小さいので、子どもの活動範囲が成長とともに大きくなることを考えると、0～2歳までの保育の場として考えたい保育施設といえます。また、「家庭的保育」に関しては、親が保育者とマンツーマンで向きあうことになるので、相性がいいかどうかも重要なポイント。入ってから後悔しないよう保育方針や内容についてよく確認をしておきましょう。

自治体が認定する保育所

待機児童を減らすため、自治体が地域の実情に即して設置した認可外保育所。国の設置基準は満たしていないものの、自治体の認定を受けているので、ほかの認可外園より安心。保育料に上限があるのもうれしい。

自治体ごとに異なる設置基準やシステム。「認定」が必要な園もある！

「自治体が認定する保育所」は、新制度の外で運営される保育施設です。園舎がせまいとか、庭がないなど、国の設置基準は満たしていないので認可園にはなれませんが、庭がないかわりに公園が隣接しているというような各自治体が設けた基準をクリアーしています。

自治体の助成を受けて運営しているので、ほかの認可外園より保育料が安く、利用後に生じた苦情や相談も自治体の窓口にもっていきやすいのが利点です。入園への待機児童が多い０～２歳児までの子どもを専門に預かっている園や、長時間保育に対応している園が多いのも特徴で、具体的には東京都の「認証保育所」や横浜市の「横浜保育室」などが、これにあたります。

近所にどのような自治体認定園があるのかは、最寄りの自治体の窓口で教えてもらうことができますが、入園の申請は基本的に、直接、園へおこないます。地域によっては新制度下の園と同様に、「認定」を受ける必要がある場合もあります。

重要なのは、認可園同様、子どもを預けるまえにかならず自分の目でどんな保育環境なのかを確認すること。保育内容はもちろん、保育時間や保育料なども園ごとに差があるので確認を忘れずに（多くの自治体運営の園では、保育料の上限が定められている）。認可保育所のコーナーで紹介した「保育施設見学のポイント」を参考にして、自分の目で見てしっかり選びましょう。

園の雰囲気や安全面、園長や保育者との相性、保育内容はもちろんですが、急な残業で迎えが遅くなっても融通がきいたり、病後児保育に対応していたりと、シングルマザーにとってありがたいサービスが充実している園がおすすめです。

放課後学童クラブ

「放課後学童クラブ」は、小学生のための保育施設です。毎日「おかえりなさい」と子どもを迎え、おやつを食べさせてくれたり、宿題など簡単な勉強をみてくれたり、全体に家庭的な雰囲気になっています。

保育料やシステムは、施設ごとに違う。詳細は直接、施設へ問い合わせてみよう。

「放課後学童クラブ」は、放課後や夏休みなど学校の長期休暇時に、適切な保護ができない家庭の学童（小学生）を預かってくれる施設です。共働き家庭の増加によって、近年ますますニーズが高まっています。これまでは小学3年生までを預かる施設がほとんどでしたが、新しい子ども・子育て支援法の施行により、２０１５年４月から小学生全体を預かる施設となりました。また、同制度により国や市区町村がスタッフの数や場所の広さ、1クラス当たりの受け入れ人数、開所する時間や日数などの最低ランクの基準もでき、運営基準も明確になっています。

「放課後学童クラブ」の多くは自治体が運営していますが、なかには地元の父兄会やＮＰＯ、民間の学習塾や習い事教室などが運営しているものもあり、保育料やシステムは施設ごとに異なります。詳細は直接、施設へ問い合わせてみましょう。申し込みも各施設へ申請します。ちなみに保育料の平均額は、全国学童保育連絡協議会の２０１２年調査によると、平均月額７３７１円（民間運営を除く）となっています。

通学している学校に隣接している施設がベスト。「放課後子ども教室」とあわせて利用する方法も。

「放課後学童クラブ」は、放課後、子どもが自主的にひとりで施設に行くことになるので、通学している学校に隣接している施設がベストです。しかし、学校から離れた場所にある施設もあります。子どもを預ける際には、保育所同様、かならず見学をしておきましょう。

放課後学童クラブでは、毎日「おかえりなさい」と子どもを迎え、おやつを食べさせてくれたり、宿題など簡単な勉強をみてくれたり、職員が一緒に遊んでくれたりして、全体に家庭的な雰囲気となっています。夏休みなどの長期休暇には、午前からの一日保育となり、遠足へ行ったり、保護者を交えてのお楽しみ会などの催しもあります（ただし、昼食はお弁当を持参）。放課後学童クラブは、親にとってはありがたい施設なのですが、子どもが大きくなるにしたがって、放課後自由に過ごしたくなるため、行くのを嫌がるようになることも多いので注意が必要です。政府は学校や校庭を開放して地域の大人との交流や学び、スポーツ文化活動などの体験ができる「放課後子ども教室」と「放課後学童クラブ」との一体運営を推進しているので、最寄りのクラブでそうした試みがおこなわれていないかどうか確認してみるのもいいと思います。「放課後子ども教室」にも登録すれば、子どもたちにとって多くの人と接し、多くの体験ができるようになるので、クラブへ積極的に足を運ぶ可能性が高まります。最近は、学習塾や習い事教室など民間の運営で、スポーツや英会話などを習える施設も登場しています。6年間という保育時間を考えると、そうしたオプションも考慮して施設を選ぶのもいいかもしれません。

Column

ファミリーサポートセンターを利用して二重保育！

ボランティアで成り立っているファミサポは、料金も1時間約７００円からとリーズナブル

延長保育がある保育園と違って、ほとんどの学童保育所では、遅くても19時ぐらいで保育が終了します。勤務の終了が遅い場合は、子どもが家で1人でいる時間が長く、心配なお母さんも多いでしょう。そんなときには、ファミリーサポートセンターを利用して二重保育をしてみてはいかがでしょう。ファミサポは預かってほしい利用者と預かりたい援助者の会員を地域で募り、双方を引きあわせ納得したうえで保育をおこなうシステムで、料金も1時間で約７００円からとリーズナブル。ただし、ボランティア精神で成り立っているので、利用時には感謝の気持ちを忘れないことが大切です。問い合わせは、自治体の窓口、もしくは地域の子育て支援センターへ。

その他の預け先とサービス

臨機応変に活用したいさまざまな預け先を紹介。心に留めておき、ケースバイケースで使い分けてください。どの施設も利用するまえにかならず見学をするのを忘れずに！

最初に述べたように、現在は地域の実情に即したさまざまな「子ども・子育て支援事業」がおこなわれています。前ページで解説した「放課後学童クラブ」もそのひとつです。ここでは、まずシングルマザーが知っておきたい「その他の事業」について紹介します。事業の内容や利用方法、料金は自治体ごとに異なります。詳細は、最寄りの役所の窓口へ問い合わせて確認してください。

一時預かり事業

保育者の育児疲れや冠婚葬祭、出張や職業訓練、就学などの理由で、家庭において保育を受けることが一時的に困難になった乳幼児を、一時的に預かってくれるサービス。認定こども園や幼稚園、保育所、地域の子育て支援拠点やその他の場所で、必要な保育を一時的におこなっています。就職活動をしたいと思っているシングルマザーの利用が、期間限定で可能な場合があります。

病児保育事業

病気の子どもや病気の回復期にある子どもを、病院や保育所などに付随した専用スペースで預かる保育サービス。病児保育は医療機関のなかに併設されている場合が多く、病後児保育は保育園に隣接し、保育士と看護師がついて保育をしてくれます。どの施設も静かな空間で、薬も飲ませてくれます。水ぼうそうやインフルエンザなどの感染症は、園や学校を長い期間休まなければなりませんが、シングルマザーは仕事をなかなか長くは休めません。最寄りの施設を確認しておきましょう。

子育て短期支援事業

保護者の疾病などの理由により、家庭で養育を受けることが一時的に困難となった児童について、児童養護施設などに入所させ、必要な保護をおこなうサービス。短期入所生活援助事業（ショートステイ事業）や、夜間養護等事業（トワイライト事業）ともいわれています。

112ページで紹介した「地域型保育」には、「家庭的保育」や「小規模保育」のほかに、以下のような保育施設が設けられています。利用できる可能性はその人が住んでいる場所や勤務先によりますが、ここで紹介しておきます。情報は自治体の窓口で入手してください。

事業所内保育

事業主などが主体となって、事業所の従業員の子どもや地域の保育を必要とする子どもを保育するサービス。

居宅訪問型保育

市町村や民間の事業者などが主体となって、保育を必要とする0～2歳児の子どもの保育を、その子どもの家に出向いておこなうサービスです。必要な研修を修了し、保育士や保育士と同等以上の知識や経験をもつ人で、市町村が認定した人が保育をおこないます。ひとり親家庭では、夜間の勤務がある場合などで居宅訪問型の保育の必要性が高いと認められた場合にかぎり利用できます。

●**新制度の詳細を知りたい人は**
内閣府子ども・子育て支援制度のホームページを参照
http://www8.cao.go.jp/shoushi/shinseido/index.html

Column

子どもの預け先はインターネットに頼らずに自治体の窓口に行き専門の職員に相談して！

現在の保育制度はこれまで述べてきたようにとても複雑です。施設選びを失敗しないためには、まず自治体の窓口へ行き、情報を収集することが重要です。なぜなら、窓口には子どもの預け先の相談にのってくれる専門の相談員が配置されているところがほとんどで、有益な情報やアドバイスをしてくれるからです。相談員には保育所や幼稚園で働いていた保育経験者が多く、子育てについてはもちろん、地域の保育事情にも精通しています。インターネットで手に入る情報は、住所や空き人数などの概要だけで、園の教育方針や雰囲気までは判別できません。保育の現場を熟知した専門家から情報を入手して、それを吟味。候補先の施設を絞りこんだら、実際に園へ足を運んで見学し、中身で子どもの預け先を決める。これが子どもの預け先を決めるときの鉄則です。

「不服申し立て」も視野に入れ、子どものよりよい居場所を確保！

子どもを産み、育てやすい社会づくりをめざすために2015年4月からスタートした新しい子育て支援制度。しかし、その実態は「待機児童問題はさほど解消されず、システムがより複雑になった」というお母さんたちの声を多く耳にします。また、埼玉・所沢市で起きた「育児休暇中は子どもを退園させる」というようなトラブルも噴出し、残念ですが日本は子育てのしやすい国になったとは言いがたい現状です。

ひとりで子どもを育てるシングルマザーの場合、働かなければならないので、優先的に認可保育所などに入れると思います。しかし、子どもの年齢や地域によっては認可外園でなければ入れなかったり、保育枠の空きがなく、待機をしなければならない場合も考えられます。

そんなとき自宅にこもってひとりで悩んでいるのは禁物です。まずは子育て支援の専門相談員に困っている現状を訴えましょう。そして、最悪の場合、不服申し立てをすることも考えておきましょう。「自治体への不服申し立て」をする人は、まだわずかですが、認可園に入れなかった親たちが、子どもが安心して過ごせる保育環境を確保しようと各地で起こしている行動です。自治体は不服申し立てをした保護者のそうした声に対応する義務があるため、検討の結果、認可園に入れる可能性も出てくるかもしれません。ここではその不服申し立て（審査請求）をする際の書類のフォーマットを紹介しておきます。右上にあるのは、「保育園ふやし隊@杉並」の公式ブログからダウンロードしたもの。だれでもダウンロードでき、請求理由を各自治体の状況に即してアレンジすれば、審査請求書を作成することができます。

出典：「保育園ふやし隊@杉並 公式ブログ」

子どもの預け先でいちばん大事なことは、子どもが安心してのびのび過ごせる場所かどうか。お母さんが安心して仕事に臨むためには欠かせない条件です。「認可外園でも、入れたからよかった」と安堵せず、子どものよりよい居場所を確保してほしいと願います。　（田中涼子）

5
章

利用できる福祉制度

必要な情報は、受け身では手に入らない!
積極的に、自分からとりにいこう

54〜59ページのサンプル家計簿を見てもわかるように、各種手当が、シングルマザーの家計を支えています。ここでは、手当の申請方法や受給資格などを簡潔にわかりやすく解説。使えるものは積極的に活用して、子どもとの暮らしを豊かなものにしましょう。

児童扶養手当

母子（父子）家庭の生活の安定と児童福祉の向上を支える手当

母子家庭などの児童の福祉の増進を図ることを目的とした国の制度です。

父母が婚姻を解消した児童、父（母）が死亡した児童などを監護し養育している母（父）または養育者、父（母）が重度の障害をもつ家庭に支給されます。子どもが18歳に達する日以降、最初の3月31日までの児童を扶養している家庭に支給されます（所得制限あり）。

申請の方法

市区町村窓口に認定請求に必要な書類を提出し受給資格の認定を受けます。手当額以上の公的年金を受給できる場合には認定されません（手当額以下の場合は差額を支給）。また、所得制限により支給されないこともあります。ご自分に必要な書類を二度手間なく準備するために、一度、窓口相談を受けることをおすすめします。

支給の方法

手当の支給は4月、8月、12月にそれぞれ前月分までがまとめて支払われます。金融機関の申請した口座に自動振込になります。

手当を受けられる人

次のいずれかに該当する児童を養育している母（父）、または母（父）に代わって児童を養育している方です。

1. 父母が婚姻を解消した児童
2. 父（母）が死亡した児童
3. 父（母）が障害の状態（年金の障害等級の一級程度）にある児童で公的年金加算対象外の児童
4. 父（母）の生死が不明な児童
5. 父（母）から一年以上遺棄されている児童
6. 父（母）が裁判所からDV保護命令を受けた児童
7. 父（母）が法令により引き続き一年以上拘禁されている児童
8. 未婚の母の児童
9. 出産時の事情が不明である児童

手当を受けられない人

次のいずれかに該当する場合には手当は支給されません。

1. 母（父）が婚姻の届出はしていなくても事実上の婚姻関係（内縁関係など）があるとき
2. 父（母）または養育者の住所が日本国内にないとき
3. 対象児童の住所が日本国内にないとき
4. 対象児童が里親に委託されたり、児童福祉施設（母子生活支援施設、保育所、通園施設を除く）や少年院などに入所しているとき
5. 手当額を超える国民年金、厚生年金、恩給などの公的年金を受けることができるとき
6. 平成15年4月1日時点において手当を受けられる要件に該当してからすでに5年が経過しているとき
7. 定められた額以上の所得があるとき

必要な書類

□**住民票**（世帯全員のもので続柄、本籍記載があるもの）
住民票は別でも同居している人がいる場合にはその人の住民票も必要。児童と別居の場合には別居先の住民票が必要。

□**外国人の場合には外国人登録原票記載事項証明書**

□**戸籍謄本**（請求者及び対象児童のもの）
請求者と児童の戸籍が別の場合には両方とってください。離婚された方は離婚日が記載されているかを確認してください。もし記載がない場合には離婚日の入った戸籍も必要になります。

□**印鑑**

□**年金手帳**
厚生年金などで手帳がお手元にない場合には、資格取得年月日、基礎年金番号を控えてきてください。

□**貯金通帳**
養育者名義のもの。ただしゆうちょ銀行（郵便局）は除きます。離婚で氏名の変更があった場合には、変更をすましてお持ちください。

□**前年度所得証明書または非課税証明書**
今年度1月1日現在に住民票のあった市区町村役場から取り寄せてください。同居親族がいる場合にはその方のぶんも必要になります。

□**その他事実を明らかにする書類**

関連する手続きの必要書類

事実婚を解消したとき	事実婚解消の調書 事実婚解消申立書（民生委員の証明）
死別したとき	公的年金調書
婚姻によらないで出生したとき	未婚の母子調書・未婚の母子についての確認書
父（母）に障害があるとき	公的年金調書 年金証書（年金を受けているとき） 年金額改定通知の写し・身体障害者手帳 医師診断書（内部疾患による障害があるとき）
父（母）が児童を遺棄しているとき	遺棄調書 遺棄申立書（民生委員の証明） 遺棄証明書（福祉事務所の証明）
父（母）が拘禁されているとき	拘禁証明書
父母以外の人に養育されているとき	養育証明書（民生委員の証明）
児童と別居しているとき	監護証明書（民生委員の証明） 児童の世帯全員の住民票（児童の住民票が市外のとき）

現況届の提出

手当を受けている人は、引き続き受ける要件があるかどうかを確認するため、毎年8月1日における状況を記載した「現況届」の提出が必要になります。

郵送での受付ができないために、仕事を休んだり早退したりして窓口に足を運ばなくてはならないのが、働くシングルマザーたちの負担になっています。最近はそのあたりの事情を考慮して、土曜日や時間外に受付窓口を設ける配慮をしている自治体もあります。

情報！
※児童扶養手当認定請求書に添付する住民票などは手数料が免除される自治体もあるので、窓口でお問い合わせください。

手当額の算出方法

児童扶養手当には、所得に応じて全部支給と一部支給があります。全部支給の手当額（月額）は42,290円で、第2子は9,990円が、第3子以降は5,990円／人が加算されます。一部支給の手当額と加算額は、物価に連動した算定式により計算されます。（2017年度）

42,280円－（所得額－全部支給申請の所得制限限度額）×0.0186705

※児童扶養手当法上の所得額
（給与所得控除後の金額＋養育費の8割）－社会保険料－その他の控除 が、児童扶養手当が受給できるか否かを判断される所得となります。
※児童扶養手当は申請時期によって審査の対象となる所得が違ってきます。1月～7月に申請した場合は前々年度、8月～12月に申請した場合は前年度の所得が対象となります。

手当額の例
（子ども１人の場合）

所得額（年額）	手当額（月額）
60万円	41,720円
100万円	34,250円
150万円	24,920円
200万円	15,580円
220万円	11,850円

所得制限限度額（2002年8月1日以降）
※この額を超えると手当は支給されません。

扶養親族等の数	本人		孤児等の養育者、配偶者、扶養義務者の所得制限限度額
	全部支給の所得制限限度額	一部支給の所得制限限度額	
0人	19万円	192万円	236万円
1人	57万円	230万円	274万円
2人	95万円	268万円	312万円
3人	133万円	306万円	350万円
4人	171万円	344万円	388万円
5人	209万円	382万円	426万円

養育費が収入とみなされる「改正」

児童扶養手当制度は２００２年８月に改正されました。

離婚の増加に伴い、全体予算の削減がおこなわれました。全部支給と一部支給の所得の限度額が変わり、一部支給の手当額については、所得に応じてきめ細かく定められました。

さらに、別れた親から支払われる養育費の８割が、自己申告によって収入に算入されることになりました（申告しない場合、不正受給となり返還を求められます）。

児童扶養手当さらに減額？

2008年4月からは「改正」児童扶養手当法に基づき、5年間受給後の減額（一部支給停止措置）は法律どおりおこなわれていますが、指定する就労証明などの書類を出せば、削減されないことになりました。

知ってお得な！

先輩たちからのアドバイス

自治体の「ひとり親家庭のしおり」からは得られない、経験者の生の声!!

金額は前年度所得で決定される！

受給金額は前年度の所得によって決定されます。保育料も前年度の所得によって決定されるので、離婚直後で経済的にどんなに困っていても関係なく算出されます。借金をしてでも保育料を払わなければ、退園せざるをえなくなるので注意しましょう。離婚したらすぐにもらえる手当だと思わずに自分の状況を把握して、離婚後の生活設計と生活費を確保しましょう。

両親との同居で受けられないことも！

実家でおじいちゃん、おばあちゃんと同居していると、世帯収入で算定されるために手当が受けられませんでした。親に面倒をみてもらっているわけではなく、生活費も養育費も私が全部まかなっています。慰謝料も養育費も一切もらってません。どんなに市役所にかけあっても「それじゃ、家を二世帯住宅に改築したら？」とか「電気や水道のメーターを別にして玄関も別にしたらもらえます」とか言われます。離婚して親と同居予定の方は注意して。

特別児童扶養手当もあるよ！

5年前に障害児を引きとって離婚しました。ところが、「特別児童扶養手当」と「児童扶養手当」がまったく違うものだと知ったのは、つい先日のことでした。生活保護の相談にいったときも離婚の際も、引越しで区が変わった際も、窓口では説明がありませんでした。

身体や精神に中度以上の障害をもっている児童の養育者に支給される手当で、児童扶養手当との併給が可能なので、障害児をもっている親御さんは利用してほしいと思います。（自治体のしおりに掲載されていない場合があるので、窓口へお問い合わせください）

養育費を収入として自己申告？

養育費を母親の収入として自己申告する制度に疑問をもちました。私は離婚の和解金も分割でもらう予定になっていたので、父親に理解してもらい、養育費と同等の金額を和解金にふくめて受けとることにしました。もしかしたら不正受給に該当するのかもしれませんが、親子で生きていくための知恵でもあるのではないでしょうか。そもそも自己申告などという制度がおかしい。養育費を未払いの親からしっかりと徴収できるしくみをつくって管理すべきかと思います。

父子家庭の手当

2010年8月より、児童扶養手当が父子家庭にも支給されるようになりました。近年では父親が親権者・監護者となる離婚も増えていて、父子家庭の増加にともない改正がおこなわれました。

現在は「母子及び寡婦福祉法」が「母子及び父子並びに寡婦福祉法」に変更され、父子家庭も母子家庭と同等の国の支援を受けられるようになりました。

ライフワークバランスなども推進され、団体の子育て支援に向けた国の支援なども少しずつ充実しつつありますので、父子家庭のみなさまにも上手に支援を生かしてがんばってほしいと思います。

児童手当

ひとり親家庭に限らず、子育て中の家庭全般を支える手当

児童扶養手当とのダブル受給が可能ですが、所得制限があります

児童を養育している家庭に支給することによって、生活の安定に寄与するとともに、次世代の社会を担う児童の健全育成および資質の向上を目的にしている国の制度です。ひとり親家庭に限らず子育てをしているご家庭であれば、子どもが中学校3年生修了前まで受けられます。児童扶養手当とのダブル受給が可能ですが、所得制限があります。

手当支給額（1人あたりの月額）

0〜3歳未満	一律15,000円
3歳〜小学校修了前	10,000円（第3子以降は15,000円）
中学生	一律10,000円

支給要件

15歳到達後、最初の3月31日までの間にある児童（中学校修了前）を養育している人に支給されます。

所得制限

※前年（1月から5月までの月分については前々年）の所得がこの額を超えると、定額5,000円の支給となります。

扶養親族等の数	所得額	収入額
0人	622万円	833.3万円
1人	660万円	875.6万円
2人	698万円	917.8万円
3人	736万円	960万円
4人	774万円	1002.1万円
5人	812万円	1042.1万円

所得から控除される金額

一律控除	8万円	誰でも控除される
寡婦控除	27万円	母子家庭で合計所得額が1千万円以下。※子どもに38万円以上の収入がある場合と未婚のママには適用なし
特別寡婦控除	35万円	母子家庭で合計所得金額が500万円以下で扶養親族がある方 ※寡婦控除とのダブル控除はできない
医療費控除	超えた額	母と子の医療費の合計が1年間で所得の5パーセントまたは10万円を超えたとき

（このほか、雑損控除や障害者控除などもあります）

※東京都では支給上限を独自に設定している区もあります。お住まいの担当窓口でご確認ください。

申請の方法

児童扶養手当とのダブル受給が可能
申請は別なので忘れずに！

市区町村窓口に認定請求に必要な書類を提出し、受給資格の認定を受けます。手当をひき続き受ける場合には、毎年6月1日における状況を記載した「現況届」の提出が必要です。提出がないと続けて受けとることができません。

必要な書類

- □健康保険被保険者証の写しなど
（請求者がサラリーマンである場合に提出）
- □児童手当用所得証明書
- □必要に応じて提出する書類
（養育する児童と別居する場合など）

支給の方法

銀行、郵便局など
申請した口座に自動振込

手当の支給は2月、6月、10月。それぞれ前月分までがまとめて支払われます。申請した口座に自動振込になります。

現況届の提出

手当をひき続き受けるには、
「現況届」の提出が必要

児童手当を受けている人は、手当をひき続き受ける要件があるかどうかを確認するために、毎年6月1日における状況を記載した「現況届」の提出が必要です。

提出がないと支給を受けることができないので注意しましょう。

耳寄り情報！

未婚のひとり親も支援　寡婦控除のみなし適用

２０１３年９月、結婚していない男女間の子の遺産相続を、結婚した男女の子の半分とする民法の規定は違憲であるという最高裁の判決が下されました。それを機に、全国のところどころの自治体で、未婚のシングルマザーにたいしての「寡婦控除のみなし適用」がおこなわれています。

税制改正はできないため所得税での寡婦控除は実施されていませんが、保育料や公営住宅の家賃など、未婚のひとり親家庭に寡婦控除を適用する自治体が出てきています。こうしたみなし適用の流れは今後さらに広がる模様なので、未婚のひとり親の方は、最寄りの自治体に確認してみてください。

母子・寡婦福祉資金貸付金

生活資金に困ったら、利息の高い民間貸付で借りるまえに、最寄りの行政窓口で相談

お金のことで困った事態が生じたときには迷わず相談

母子家庭の生活の安定とその児童の福祉を図るために12種類の貸付制度があります。貸付財源の3分の1を地方公共団体が負担し、3分の2を国が負担しています。

いずれも無利子や低金利で返済期間も3年～20年で据えおき期間があったりします。

生活資金に困ったら、利息の高い民間貸付で借りるまえに一度、最寄りの行政窓口で遠慮なく相談してみてください。

12種類の貸付金

① 事業開始資金
② 事業継続資金
③ 修学資金
④ 技能習得資金
⑤ 修業資金
⑥ 就職支度資金
⑦ 医療介護資金
⑧ 生活資金
⑨ 住宅資金
⑩ 転宅資金
⑪ 就学支度資金
⑫ 結婚資金

支払い猶予や免除の措置もあるので、困ったときには迷わず相談を！

修学資金・就学支度資金

先輩シングルマザーたちから好評！　12種類の資金のなかで最もニーズの高い制度

高等学校、大学、高等専門学校の授業料や交通費など、修学に必要な資金の貸付と、修学するための被服などの購入に必要な資金の貸付です。無利子で支払い開始が6ヶ月据えおき。

■貸付対象

母子家庭の母と、その扶養児童であれば、所得制限なく誰でも審査を受けることができます。

■申請の方法

市区町村窓口にまず貸付相談をします。必要書類を提出後に都道府県、指定都市、中核市にて審査があります。

■必要な書類

1 合格証、入学許可書
2 申請書
3 戸籍謄本
4 住民票
5 入学先調書
6 所得証明書または源泉徴収票
7 印鑑証明
8 銀行通帳の写し
9 保証人の申請書サイン（必要な場合）、住民票、職業明細、所得証明書または源泉徴収票

■貸付までの流れ

審査は自治体によっては親子面談が必要な場合もあります。申請書の提出が終わると、都道府県、指定都市、中核市にて審査がおこなわれます。その後、決定通知書が届きます。同封の借用書用紙に必要事項を記入して押印し、印鑑証明を添えて手続きは完了になります。

就学支度金は一括で、修学資金は半年分が指定の口座に振込まれます。

先輩シングルマザーの声！

貸付金って使える？使えない？

事業開始資金・事業継続資金は使えない？

いざ起業しようと事業開始資金の相談に訪れたときに、相談員さんから「中小企業診断士の審査が厳しく、事業計画がしっかりしていないと借りられない。なかなか使えない制度だから民間の安い金利貸付を受けたほうがいいですよ」とアドバイスされました。

知りあいが事業継続資金の相談にいったときも、どうやら同じようなことを言われたようです。

紙の上だけで生かせない制度ならば意味がないと思います。審査が難しいのであれば、具体的に審査基準や参考になる事業計画書などを打ちだすべきです。

低金利で安心の修学資金と就学支度資金

子どもの短大入学が決まり、入学金と学費の額に愕然としました。蓄えがまったくないわけではなく学資保険にも入っていたのですが、思っていた以上にお金がかかるので、修学資金の相談にいきました。短大に通学しているあいだの2年間の学費を無利子で貸してもらえ、非常に助かりました。就学支度資金との併用もできるらしく、うれしい制度です。

高校授業料の支援制度について

「公立高校授業料無償制」は2010年から、「高等学校等就学支援金制度」とともにスタートした制度です。高校等に通う生徒が安心して勉学に打ち込めるよう、国の費用により、公立高校授業料を無償化するとともに、国立・私立高校等の生徒の授業料に充てる支援金を創設し、家庭の教育費の負担を軽減しています。

公立高校の授業料の無償化に関しては、家庭でおこなう手続きはとくにありませんが、支援金に関しては、各家庭の子どもの人数・年齢に応じ、複数の基準に照らして判定がおこなわれ、基準に達した家庭の子どもが通う学校へ支援金が支給されます。

支援金の受給額やその手続きに関しては、以下の窓口へ問い合わせてください。

問い合わせ先

●文部科学省「初等中等教育局財務課高校修学支援室」☎03−5253−4111
http://www.mext.go.jp/a_menu/shotou/mushouka/index.htm

●文部科学省高校修学支援ホットライン
☎03−67−3176

生活保護

生活保護制度は、国が生活に困窮するすべての国民に最低限の生活を保障し、その自立を支援することが目的です。

生活保護とは

世帯の収入がその最低ラインを下回る場合に不足分を扶助します

生活保護は、病気や失業のために収入が途絶えたり、働いていても収入が少なくて生活に困っている人が申請できます。

厚生労働大臣が定めた基準で最低生活費を算出し、世帯の収入がその最低ラインを下回る場合に不足分を助ける制度です。世帯の状況によって、生活保護法で規定されている必要な保護が適用されます。

母子家庭と生活保護

母子世帯の生活保護受給率は14・4％と高くない

生活保護を受けるためには、できることはすべてやったうえで、それでもみずからの力ではどうしても生活できない状況であると認定されることが必要です。

家庭内暴力で着のみ着のまま避難したケースでは認定されやすいのですが、一般に母子家庭で生活が苦しいというだけではなかなか申請書をもらえないというのが現状のようです。

２０１１年11月現在の生活保護世帯数は１４０万世帯を超えますが、母子

生活保護法で規定されている保護一覧

生活扶助	食費、光熱費など日常の生活を営むうえでの基本的な需要を満たすものに対する扶助	出産扶助	出産に必要な費用について基準額の範囲内で支給される扶助
教育扶助	義務教育就学中の児童に対して学用品、給食費、通学費などの扶助	生業扶助	生活維持を目的として事業を経営するために必要な費用、生計の維持に役立つ職業につくための授業料などの費用の扶助
住宅扶助	借家、借間住まいをしている場合に支給される家賃や間代の扶助	葬祭扶助	葬祭をおこなうための必要経費の扶助。地域別、大人、子ども別の基準で支給される。
介護扶助	介護保険法の規定する要介護者、要支援者に対して介護保険と同じサービスが給付される。	医療扶助	医療保険診療の場合と同じ。医療扶助開始の手続きを福祉事務所などでとる必要あり。

世帯の生活保護受給率は14・4％と高くないことから、認定の難しさがうかがわれます。

あきらめないでまずは相談から！

自治体の福祉担当窓口や福祉事務所へ相談にいってみましょう

それでも本当に困ったら、まず最寄りの自治体の福祉担当窓口や福祉事務所（P168参照）に相談にいくことをおすすめします。ほかに利用できる制度があれば教えてくれますし、今後の生活の相談にのってくれます。現在の収入や資産などについて説明し、ほかに方法がないと判断されたときに生活保護を申請することになります。

申請に基づき調査がおこなわれ、生活保護を適用する必要があると認定されると、はじめてこの制度を利用することができます。

生活保護申請に必要なもの

1．部屋の契約書および家賃通帳
2．手持ちのすべての通帳（当日残高記載）
3．健康保険証
4．過去3ヶ月の給料明細書
5．生命保険証書・簡易保険証書
6．手当の種類や金額がわかるもの（児童扶養手当の受給証など）
7．いちばん最近の公共料金の領収書
8．認め印
9．生活保護申請書

認定基準

1　あらゆる資産の活用

資産価値のあるものは、すべて処分しなければなりません

自家用車の所持などは、認められません。生命保険なども原則として解約する必要がありますし、預貯金なども数万円程度しか認められません。

また、利用できる制度はすべて利用する必要があります。たとえば児童扶養手当、児童手当、失業保険などです。それでもなお最低生活費に満たない場合のみ受けられます。

2　能力の活用

働くことが可能な場合は、能力に応じて働かなければなりません

ただし、働く意志があるにもかかわらず高齢で仕事が見つからなかったり、乳幼児を抱えた母子家庭の母親などはこの例ではありません。

3　世帯単位の査定

世帯全体の収入を合計して最低生活費を上回るときは適用されません

借金がたくさんあって生活ができない、離婚したいけれども配偶者が養育費を払ってくれないなどのケースでは適用されません。また三親等内の親族には扶養義務があるので、通常は生活保護の申請後に扶養義務者に「扶養照会」という手紙が福祉事務所から届くことになります。

養育費のとり決めと確保

離婚時にとり決めできなかった人、いまからでもとり決めは間にあいます。

養育費の支払いを促進する気運が高まっています

　未成年の子どもがいる夫婦が離婚した場合、離婚しても親子であることに変わりはないので、子どもにかかる費用（衣食住、教育費、医療費）などは分担して負担する義務があります。

　また、子どもにとって養育費は、離れている親からの愛情の証でもあり、権利です。

　しかしながら、養育費の支払い率は19・７％と非常に低く、とり決めに関しても37・７％と低くなっています（平成23年度全国母子世帯等調査）。

　２００３年８月より児童扶養手当が削減され、母子及び寡婦福祉法が改正されました。これにより養育費は、その８割が母親の収入とみなされ、手当支給を制限する場合の所得範囲に算入されることになりました。

　あてにならない養育費をもらうよりも児童扶養手当を全額もらいたいと、養育費をもらわない選択をする人もいるようですが、２００８年から児童扶養手当のさらなる削減が実施されています（１２２ページ参照）。

　子どもの養育費の支払いは、親の義務です。そのため養育費のとり決めは必須です。離婚時にとり決めできなかった人も、いまからでも間にあうので考えていきましょう。

児童扶養手当申請に養育費の申告書が必要

　自治体によってさまざまな養育費の申告書類が用意されています。書類内容の意味を理解して申告しましょう。

　２００３年８月から、児童扶養手当の認定請求書および現況届の添付書類として「養育費に関する申告書」が追加されました。

　内容や様式は各自治体によってさまざまですが、養育費の金額について申告するもので、プライバシーに関わるような質問などには回答する義務はありません。記入を求める際には趣旨・目的と記入要領について、自治体は交付し説明する義務がありますので、疑問に思うことがあれば、確認して納得したうえで申請してください。

SOS!!

養育費不払いに困ったら

養育費の不払い問題は、離婚後に仕事と子育てに奮闘している余裕のない家庭にとっては、生きていくうえでの大問題でもあります。支払い能力のない相手から借金のように取り立てるのは反対ですが、能力があるのに支払わないのは、別れた妻と子どもに対する経済的な暴力でもあります。定期的に支払われつづけるはずの養育費が、未払いになってしまっていませんか？

国が定める養育費の範囲

養育費とは以下のすべての要件を満たしているものであること

1. 金品等の支払いの名義人が児童の父であること
2. 金品等の受け取りの名義人が母または児童であること
3. 父から母または児童へ給付されたものが金銭または有価証券（小切手、手形、株券、商品券など。以下「現金等」という）であること
4. 父から母または児童への現金等の給付が、手渡し（代理人を介した手渡しを含む）、郵送、母名義または児童名義の金融機関の口座への振込みであること
5. 給付の名目が「養育費」「仕送り」「生活費」「自宅などローンの肩代わり」「家賃」「光熱費」「教育費」等児童の養育に関係ある経費として支払われていること

養育費のとり決めについて再確認

1. 協議離婚で口約束で決めた
2. 協議離婚で約束書きを作って決めた
3. 協議離婚で公正証書を作って決めた
4. 調停離婚で調停調書がある
5. 審判離婚で審判調書がある
6. 裁判離婚で裁判調書がある

養育費相談支援センター
http://www.youikuhi-soudan.jp/

【電話相談】
平日10:00～20:00
土曜日・祝日10:00～18:00
03-3980-4108（希望すれば電話をかけ直して電話料金を負担してくれる）
0120-965-419（携帯電話とPHSは使えないので上記番号に）

【メール相談】
info@youikuhi.or.jp

1と2に関しては残念ながら法律的に取り立てをする手段はありませんので、まずは手紙や電話などで交渉を試みて、今後のためにも改めて養育費の取り決めに関する調停をおこなうか、公正証書を作成することをおすすめします。費用や呼びだしなどを考えると、調停でおこなうことをおすすめします。（P136参照）

養育費のとり決めをしたのに払ってもらえない場合

いきなり強制的な手段をとるのではなく、相手の事情を確認してみましょう。

まずは思いやりをもって交渉からスタート

養育費の不払いに困ったら、まずは手紙や電話などで直接交渉を試みてください。履行勧告・履行命令・間接強制・強制執行など法的な手段もありますが、いきなり強制的なものが届くと、こじれてしまって快く話しあいができなくなり、子どもの存在を否定されてしまうことにもなりかねません。思いやりをもって相手の払えない事情を知ることからはじめましょう。

口約束は法律的な効果はなし調停からやり直しが必要な場合も

誠意ある対応をしてくれない場合には法的手段がとれますが、協議離婚での口約束のとり決めでは、法的手段はとれません。

その場合には、残念ながら交渉からやり直しになります。離婚後に別れた夫婦が話しあいの場をあらためてもつには、調停がおすすめ。第三者を入れて話しあい養育費のとり決めを調停調書（債務名義）にしてもらいましょう。

「養育費の調停」申請書は郵送でも受付可能

相手方が住んでいる管轄の裁判所に申請を提出します。申請書はファックスサービスなどで取り寄せられる裁判所もあります。

記載例にしたがって記入をしたら、郵送でも受け付けは可能です。

また、ご家庭の事情により養育費増額の希望があり、双方の話しあいで折りあいがつかない場合にも、調停は利用できます。

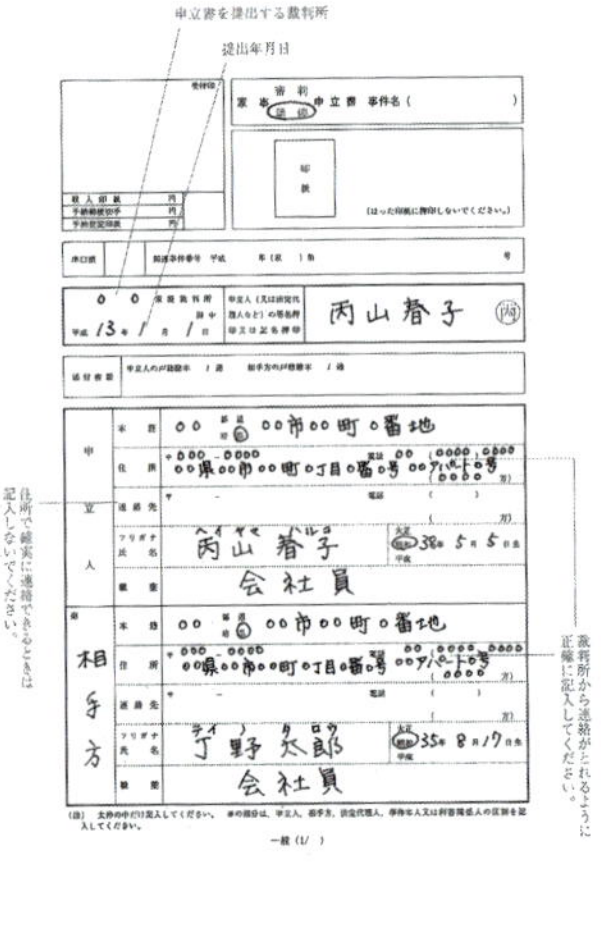

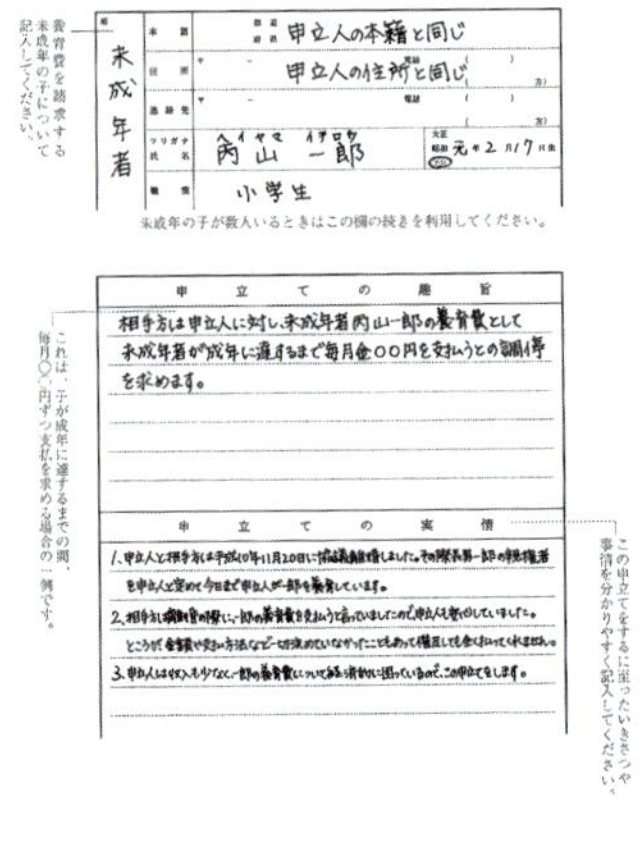

誠意ある対応をしてくれない場合の
法的な4つの手段

どの手段をとるかはあなた次第！
それでも誠意のある対応をしてくれない場合には法的な手段を使うしかありません。

1 履行勧告

家庭裁判所の調停や審判などで決めた養育費の支払いを守らない人に対して、それを守らせるための履行勧告という制度があります。相手方がとり決めを守らないときには、家庭裁判所に対して履行勧告の申し出をすると、家庭裁判所では相手方にとり決めを守るように説得したり、勧告したりします。義務者が勧告に応じない場合は、支払いを強制することはできませんが、精神的圧力を与える効果はあるようです。

2 履行命令

履行命令とは、勧告よりも一段と強いもので、相当の期間を定めて義務を履行するように命令します。命令に従わない場合には、10万円以下の過料の制裁を受ける場合があります。

3 間接強制

支払いが履行されない場合に、一定の制裁金を支払うよう裁判所が命じて、履行を心理的に強制する制度です。期限がきても支払われない養育費に関して、裁判所に間接強制の申し立てをすれば、裁判所から債務者に対して、間接強制の決定がされます。そうすると、金融機関で借り入れをしたときに遅延損害金が生じるように、債務者が裁判所の決定で決められた期間内に支払いをしないと、制裁金が生じることになります。

4 直接強制

支払いが履行されない場合に、相手の給料や財産を差し押さえる強制執行のこと。2004年の民事執行法の改正前は滞納分の養育費についてしか強制執行をすることができなかったので、養育費の滞納があるごとに申し立てをする必要がありました。 改正後は養育費が1回でも支払われなかった場合には、滞納分だけではなく、将来分の養育費についても、相手方の給料などに限って差し押さえることができるようになりました。

養育費強制執行の手続き

強制執行手続きは弁護士に依頼しなければおこなえないものではありません。誰でも自分で申し立てできます。

養育費確保の推進により養育費取りたての法律が変わりました

養育費確保が推進されるなか、２００４年に民事執行法の一部改正により直接強制が変わり、翌年には間接強制もできるようになりました。これにより、債務名義（公正証書・調停調書・判決書）のある養育費に関しては、強制執行の手続きが利用しやすくなりました。

相談窓口を利用しよう！

強制執行手続きは、弁護士に依頼しなければできないものではありません。誰でも自分で申し立てることができます。しかし慣れない手続きを自分自身でするのは難しい面もありますので、まずは相談窓口を利用しましょう。できるだけ自分ですることをおすすめしますが、弁護士に依頼する場合、着手金が差し押さえようとする額の５％程度、報酬は得た額の10％程度かかることが多いのではないでしょうか。

弁護士を依頼する資力のない人は、法テラスで審査を受け、弁護士費用の扶助を受けることもできます。

各自治体においても養育費の確保のための色々な支援が実施されています。養育費関連の講習会、養育費に関するリーフレットの配布、弁護士による無料法律相談など、最寄りの自治体の窓口にお問い合わせください。

相談しよう

公証役場

各地の公証役場では、養育費の公正証書の作成について相談に応じています。

日本公証人連合会

http://www.koshonin.gr.jp/

家庭裁判所

各地の家庭裁判所では、養育費の調停に関する手続きについての相談をおこなっています。

裁判所　http://www.courts.go.jp/

弁護士会

各都道府県にある弁護士会では、弁護士による有料の弁護士相談をおこなっています。料金の不安などがないように一律料金（30分5千円）で相談できます。

日本弁護士連合会

http://www.nichibenren.or.jp/

法テラス

弁護士による無料法律相談、弁護士費用の立て替え援助をおこなっています。（収入要件あり）

法テラス　http://www.houterasu.or.jp/

図でわかる！　養育費の申し立て方法

直接強制のポイント

1．一度の滞納で将来にわたって給料の差し押さえが可能になりました。
2．差し押さえられる金額が4分の3から2分の1になりました。
3．財産開示手続が盛り込まれました。知れている財産に対する強制執行で、完全な弁済を受けられない場合に、裁判所から財産を開示させることができます。

間接強制のポイント

1．約束した養育費の支払いが履行されない場合に、延滞金として制裁金が課されます。
2．将来分に関して直近の6ヶ月分の申し立てができます。
3．相手の所在がわかっていれば申し立てが可能なので、強制執行に比べて手続きが簡単です。

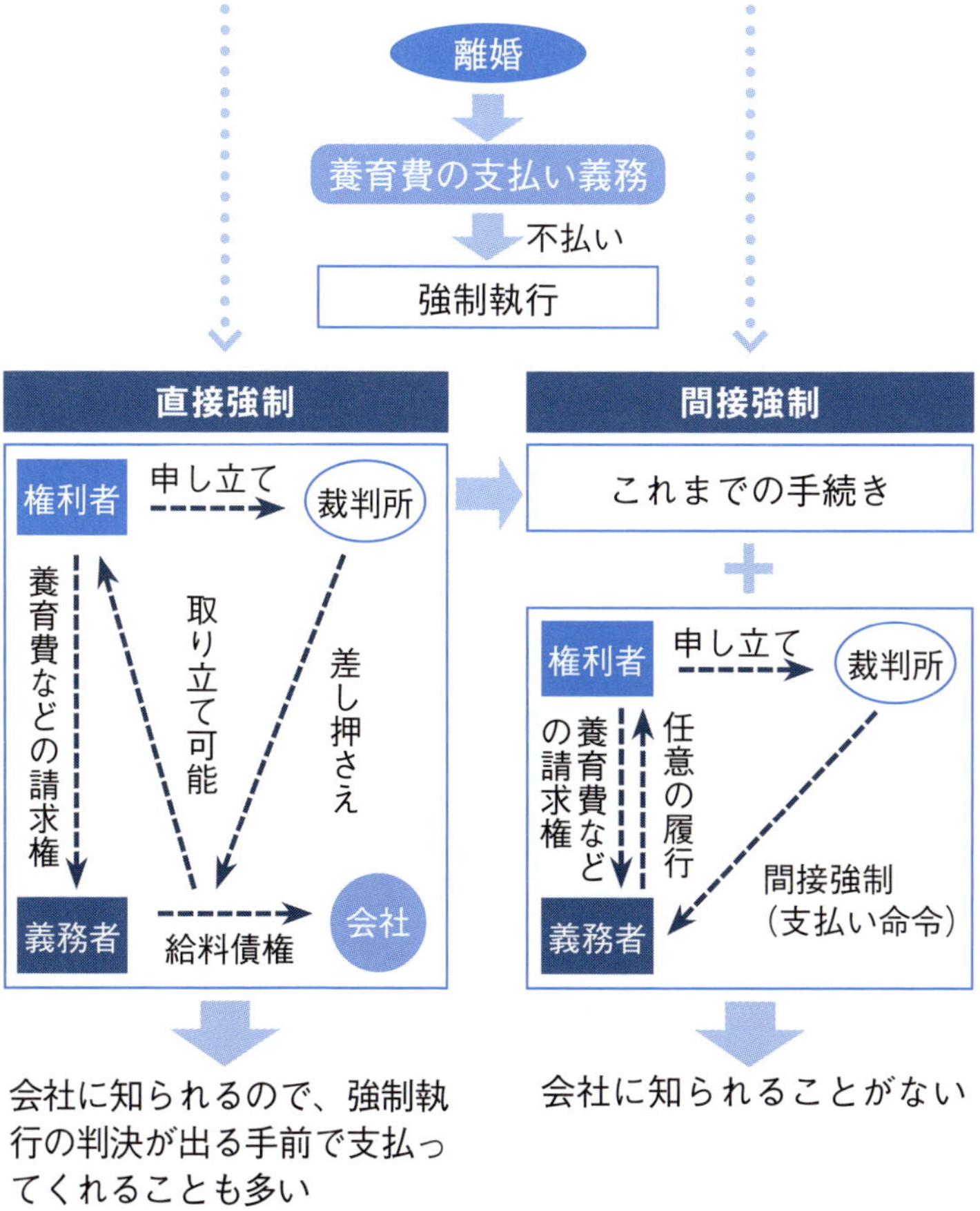

面会交流のとり決めと実施

別れても、親子の縁を継続させるために、よりよい交流の機会をもちましょう。

養育費と同等に、面会交流もお子さんの大切な権利

養育費の受けとりと同等に、離婚後の親子の権利とされているのが面会交流です。養育費の支払いの気運を高めるとともに、面会交流のとり決めも近年では推進されています。

面会交流の権利は親の権利という説と、子どもの権利という説とどちらもいわれていますが、この本では子どもの権利として子どもの立場にたった、よりよい面会交流のとり決めと実施をおすすめします。

ただし、ＤＶ（家庭内暴力）による離婚の場合には、面会交流により母親が危険にさらされるので、かならずしもこのかぎりではありません。ＤＶの場合には面会交流が制限されることのほうが多いので、離婚前に専門のサポート窓口や弁護士からのアドバイスを受け、安全を第一に考えてください。

面会交流のとり決めで考慮しなければならないこと

面会交流の主人公はもちろん子どもです。離婚後、離れて暮らす親とも交流が続くことが理想ですが、子どもにもさまざまな思いや都合があります。とり決めは子どもの負担にならない頻度や時間を、年齢や生活環境にあわせて考慮する必要があります。一方で、事情があってすぐには継続的な面会ができない場合にも、お子さんが望んだときに離れて暮らす親と連絡がとれるように考慮しましょう。離婚で夫婦の縁は切れますが、親子の縁は切れないからです。

夫婦間になんらかの不具合があるからこその離婚なので、やりとりが難しいのはあたりまえです。最初からうまくいくと思わずに、8割くらいの履行率をめざして、子どものためにもがんばりましょう。とり決めた条件に神経をとがらせすぎることなく、臨機応変に実施していけるようにしましょう。

また、将来的にどちらかの再婚により問題が発生することも考えられますので、先々も見越した話し合いができるとよいと思います。

どうしても折り合いがつかない場合には、面会交流のとり決めのための調停をおこなうこともひとつの方法です。

面会交流のアドバイス

面会する方へ

- 子どもの日常の生活リズムを最優先に日時の調整をしてください。
- 話題は子どもの好む話を中心に選び、聞き役にまわることからはじめてください。
- 子どもに高額のお金や高価なプレゼントを与えたり、いきすぎたサービスをしないように注意してください
- 養育親の様子や家庭の事情をあれこれと聞きだそうとしないようにしてください。
- 子どもとの約束はささいなこともかならず守り、不信感が生じないようにしましょう。
- 子どもの前で感情的な態度は見せない。深刻な話はしないように配慮しましょう。
- 「いっしょに暮らそう」と誘ったり、それに近い約束はしないでください。
- 子どもと会う約束を変更する場合にはできるだけ早めに相手に連絡をしてください。
- 夫婦間の葛藤がありネガティブな気分が継続する場合には心理カウンセリングを並行して受けてください。

面会させる方へ

- 子どもに関する情報は事前に相手に伝えるように配慮してください。
- 子どもが面接交流にでかけるときには、できるだけ笑顔で送り出してください。
- 子どもの体調不良などで不安がある場合には、できるだけ早めに相手方に連絡のうえ、日程変更しましょう。
- 子どもに相手の悪口を言わない。帰宅後に相手のことをあれこれと聞きだそうとしないように配慮してください。
- 夫婦間の葛藤がありネガティブな気分が継続する場合には、心理カウンセリングを並行して受けてください。

面会交流をサポートしてくれる窓口

面会交流の実施内容が定まったとしても、相手方とのコミュニケーションがうまくいかず、予定どおり実施されないこともあります。そんな場合に備えて、離婚後の面会交流を支援してくれる民間の面会交流支援団体が複数あります。おもな支援内容としては、連絡役として面会交流の日程を調整、面会交流当日の子どもの受け渡しや面会時間における付き添いなどがあります。

信頼のおける団体に問い合わせ＆面談のうえ、ご相談ください（インターネットで検索「離婚後の面会交流支援団体」）。参考までに、私が理事長を務める団体のサービスをご紹介します。

NPO法人M-STEP
「おやこリンクサービス」
http://m-step.org/oyakolink.html
※支援地域は東京とその近郊の関東圏のみ

福祉の現場

支援者と当事者のつながりをうまくつくろう！

行政の職員や相談員ともっとコミュニケーションをとってみましょう

私は仕事柄、各地の自立支援員向け講習会の講師を務めることが多くあります。またカウンセラーとして福祉施設におうかがいすることもあるので、福祉現場で働く支援者の方々とは接する機会が多くあります。

そういった折にいつも感じているのは、職員や相談員の「困っているひとり親家庭の力になりたい」という熱心な気持ちです。ともすると、ご自身が疲れてしまわないかなと心配になるほどです。

がんばってくれている支援者が多いのに、当事者からは福祉対応への苦情が多いのも実情です。

シングルマザーのコミュニティサイト「母子家庭共和国」（http://www.singlemother.co.jp/）には、行政の相談窓口で心ない言葉や対応に傷つけられたというクレームが寄せられますが、私は一概に職員側だけの責任ではなく、おたがいのコミュニケーションがうまくとれていないことが問題のような気がします。

必要な情報は、自分からとりにいく心構えをもちましょう

福祉窓口の敷居は昔から高くて、やはりお役所に相談にいくのは苦手。「できれば用事だけすませて早く帰りたい」と考えている人が多いのではないでしょうか。

すると、福祉窓口に足を運ぶのは、8月の児童扶養手当申請書の提出の時期にしよう、という人が多いのかもしれません。

この時期は窓口業務が集中するので、ひとりひとりに丁寧な個別対応ができない時期。当事者は、職員の機械的な態度や仕事風景を目の当たりにして、さらに印象を悪くしてしまうのだと思います。

ひとり親家庭世帯数が年々増加しているので、福祉窓口でもすべての世帯の状況を把握するなんてことはできません。そう考えると、情報は、自分から集めにいく必要性があります。苦手だと避けていないで、一度ゆっくりと福祉窓口を訪ねてみてはいかがでしょうか？

きっと、いままで知らなかった情報を手に入れることができたり、支援者の温かい気持ちに触れるチャンスにもなると思います。

（新川てるえ）

6
章

シングルマザーのお悩み解決

どこで相談したらいいかもわからない――
そんなひとり親の疑問にこたえます

自分で選んだ「ひとり親」という生き方でも、どうしたらいいのか困ったり、迷ったりすることは尽きません。ここに出てくるQ&Aを考えながら、読者のみなさんが、自分なりの問題解決方法を導きだすお手伝いができればと思います。いっしょに考えてみませんか。

Q 父親の不在理由、嘘をついてもいいものでしょうか？

現在、4歳の子どもが1人いるシングルマザーです。赤ちゃんのときに元夫は失踪して、やっと見つけだして離婚が成立。もちろん子どもにも一度も会っていないし、養育費もゼロ。今現在、どこにいるかも知らないし、これから一生、関わりはないだろうと思います。

先日、子どもに「僕のお父さんはどこにいるの？」と聞かれ、思わず「お父さんは○○君が赤ちゃんのときに死んじゃったんだよ」と言ってしまいました。

嘘をついてしまったことにとても罪悪感があるのですが、子どもを捨てて勝手に生きている父親のことはないこととして、私自身、自分の力だけで育てていく覚悟はできてますし、余計な心配はかけたくないので、父親はいるとは知らないでいてほしいのですが、やっぱり間違っているでしょうか？

これって子どもの心理にはどうなんでしょう？　ご意見お聞かせください。

Answer ヽ(^。^)ノ 嘘はつかずに正直に、向きあってください

父親の不在を死んだことにしてしまいたい。お気持ちはとてもよくわかりますし、ひとりでも立派にお子さんを育てていきたいという思いは凛としていて、強くてとても素敵だと思います。ただ、永遠につき通せる嘘はあるでしょうか？

お子さんが大きくなって、自分の戸籍などから真実を知る日はかならずやってきます。親というものはわが子に「嘘をついてはいけない。正直に生きよう」と伝え育てていくものです。親に嘘があったと知ったとき、お子さんはどう思うでしょうか？

真実を知ったときのショックと真実に向きあう葛藤を考えたら、嘘をつくのは子どもにとっていいことだとは思えません。子どもに親の不在を伝えるのは、できるだけ早い時期から、年齢にあった伝え方を工夫してください。嘘はつかずに正直に向きあってください。

Q 心が弱っていてつらいです…

母子家庭になり数ヶ月が経ちました。離婚の選択は間違ってないと思っています。離婚まではがむしゃらにがんばってきました。

でも、最近、仲のよい親子を見るのがとてもつらいです。休日のスーパーなどお出かけはなるべく避けています。どうしてこんなにマイナス気分になるのか、子どもにも申し訳ない気持ちでいっぱいです。

最近、会社の人間関係に疲れていて、チョット弱ってる状態も原因かもしれないけど、ホントつらいです。こんな気持ちのままじゃ子どもにも悪影響だってわかってるんですけど……。

Answer p(^^)q あせらずにゆっくりと、心をお休みさせてあげて

離婚から数ヶ月、多くの人が経験する離婚ブルーの時期ですね。離婚はマイナスのエネルギーをたくさん使います。がんばって乗り越えて成立したときにはうれしい気持ちになります。すべてが終わって新しい生活が始まり、慣れてきたころに、ふと「本当にこれでよかったんだろうか?」と寂しくなる時期があります。

私にもありました。ホッとして振り返る余裕ができた時期に、何もかも失ってしまったような寂しい気分に落ち込みました。離婚から三ヶ月目くらいのことです。

あなたはちょうどそんな時期にいるのだと思います。大丈夫ですよ。あなただけではありません。いまは少し休んでもいい時期です。あせらずにゆっくりと、心をお休みさせてあげてください。一時のことなので、すぐに元気になれるでしょう。

Q パパがいないとかわいそうな子になりませんか？

離婚して2年、もうすぐ5歳になる娘の母です。いろいろな事情があり、父親とはいっさい会わせていません。離婚時、子どもは2歳でしたので、父親のことはほとんど覚えていません。あまり口にすることはありませんが、聞かれれば、「パパは病気になってママたちのことを守れなくなったから、遠くに行っちゃったんだよ。ママも知らない場所にいるから、会えないんだ」と話してきました。

最近、「ママはだれと結婚していたの？」などと聞いてきたりするので、いままでのような抽象的な説明がどこまで通じるのかなと悩みます。また父親がいないことで寂しい思いをさせて、かわいそうな子になってしまわないかと考えると不安です。

彼女の年齢と理解度をみながら、そのつど説明していこうとは思っていますが、何かアドバイスをいただければ幸いです。

Answer o(^o^)o もっとも大切なのは、パパがいないことを伝えるときの親の気持ちです

ひとり親家庭から寄せられる相談でもっとも多いのが、こうした悩みです。もちろん年齢に応じた伝え方がありますが、もっとも大切にしなくてはならないのは、伝えるときの親の気持ちだということをアドバイスさせてください。

言葉は、遠い他人には意味が80％、感情が20％で伝わるといわれます。近い人間には意味が20％、感情が80％で伝わります。他人に言われても悲しくなるようなことではないのに、親しい人に言われて傷ついたりするのはそのためです。

親子関係はもっとも親しく近い関係なので、意味よりも感情が先に伝わります。なので、パパがなぜいないのかを伝えようとするときの親の気持ち次第では、「私はかわいそうな子なんだ」と子どもに思わせてしまうこともあるでしょう。

まずはあなた自身、離婚がベストな選択であったと

確信をもって、前向きな気持ちで真実を伝えられることが大切かと思います。先に伝わる80％の感情がマイナス感情だと、子どもは悲しい思いをします。プラス思考で伝えられないのであれば、時期を待つことをおすすめします。

感情がマイナスのときには「いつかちゃんと話をするから、もう少し待っていてね」とだけお子さんに伝え、まずは自分の気持ちと向きあって、自分の選択が間違っていなかったとプラス思考にきりかえていけるように努力することからしてみてください。自分ひとりの力でできないときには、カウンセリングなど専門家のサポートを利用することもおすすめします。

真実をプラス思考で伝えられるようになったときに、自然にお子さんの年齢にあった伝え方も選択できるようになりますよ。

「遠い人」と「近い人」では、言葉の伝わり方が違う

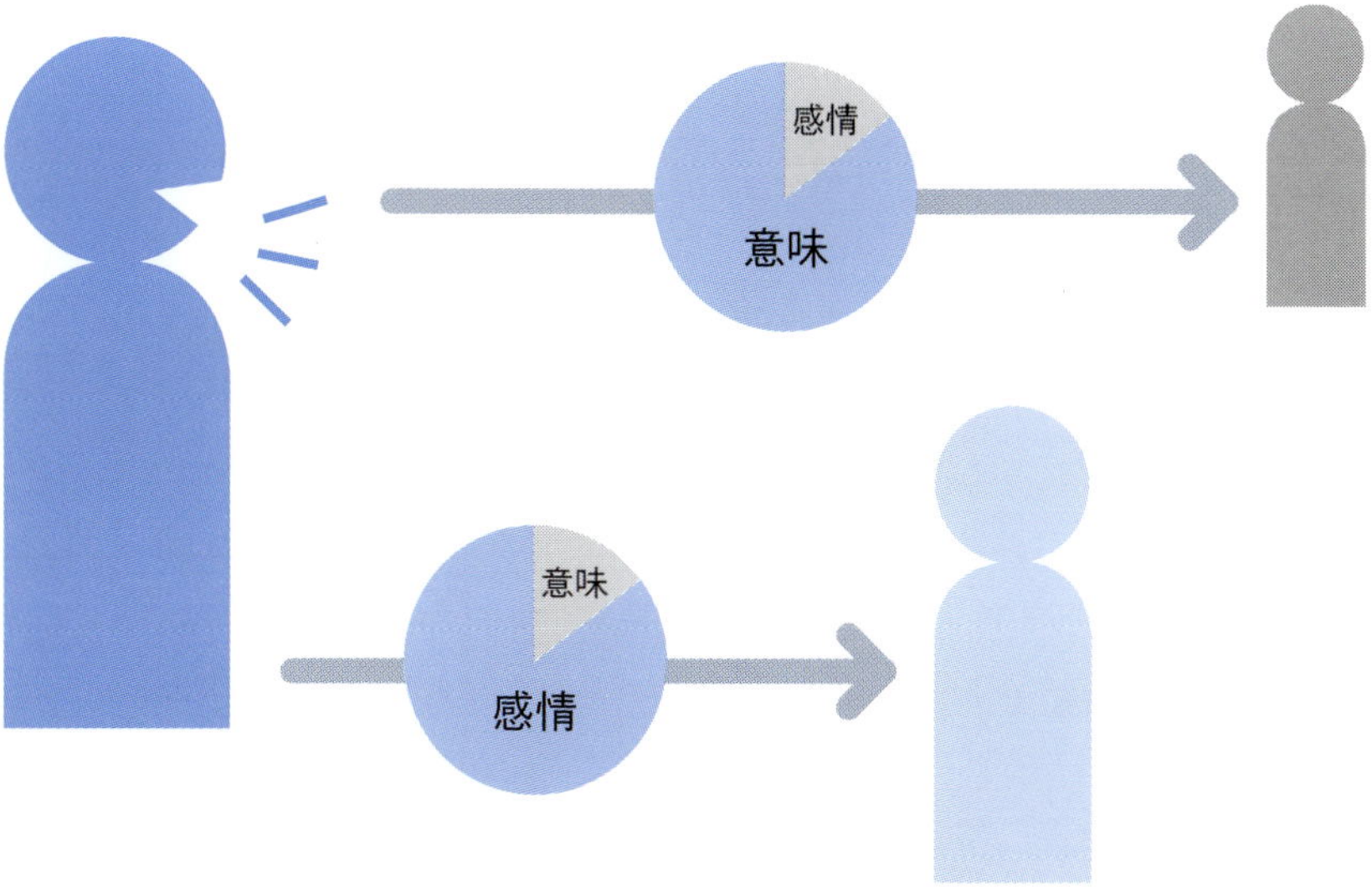

Q 希望の職につけずに悩んでいます

もうすぐ30歳のシングルマザーです。小学校1年生の男の子が1人います。現在、就職活動中ですが、仕事を探すうえで困った問題ができてしまいました。

仕事時間はやっぱり子どもの時間に合わせてあげたほうがいいんでしょうか？　現在、学童保育にお願いしていて、子どもは6時帰りです。求人の募集要項を見ると、残業有りがほとんどで、6時までに帰宅するのはかなり難しい感じです。休日は子どもと一緒にとりたいし、できるだけ家の近くの通勤圏内で、手当に頼らずに生活できる程度の収入を得て、正社員として働きたいと思います。

私は中卒なので特技もなく、仕事も少なく、胃は痛くなる一方です。近所に頼れる友人もなく、子どもを家でひとりで留守番させるのも心配ですが、仕事をしないことには生活していけません。アドバイスいただけませんか？　よろしくお願いします。

Answer (^_–)–☆
目的を決めてあせらずに、いまできることから進めましょう

四年制大学を出ても就職難という時代です。小さなお子さんを育てながらの就職は、非常に難しい状況になっています。

多くのシングルマザーから、希望の職種につけないというご相談が寄せられます。そんなときに私は、「あなたの希望は何ですか？」と質問します。

するとあなたのように、「できるだけ家の近くの職場で、残業がなくて、土日は子どもと一緒の時間がとれて、給料がよく、正社員で働きやすく、やりがいのある仕事につきたい」と言われる方が多いのですが、すべての希望を一気にかなえることは誰にでもできることでしょうか？　できませんね。

もちろん、理想を高くもち、それを目指すことは大切なことですが、目的（最終的にこうなりたい）を達成するための目標（手段）を決めて、一歩ずつ前に進みましょう。たくさんある希望のなかで、最優先にかなえたいの

はどれでしょうか？

私はシングルマザーになったばかりのころに、ゴルフ場のキャディを経験しました。当時、私の目標は「とにかく子どもを預けて働くこと」だったので、最優先しなくてはならなかったのは、託児所つきの職場だったからです。まず最優先の目標を達成して、次には働く場所を選びました。次に仕事のやりがい、というようにひとつひとつの目標をクリアして、目的に向かっていまでもがんばっています。

ご相談から、あなたの場合には、いま、最優先で考えたいと思っている目標は「お子さんとの時間」のようですね。優しくてとてもいいお母さんですね。まずはそれを確保できるような職探しをされたらいいのではないかと思います。手当に頼らずにとか、正社員としてという希望は次の段階で考えていけるように、まずはひとつの目標を決め、前に進んでみてください。

数年後に「○○になる！　○○したい！」という目的を決めて、あせらず、いまできることから確実に前に進んでいくことが大切です。応援しています、がんばりましょう。

まずはひとつの目標を決めて、前へ進んでみる

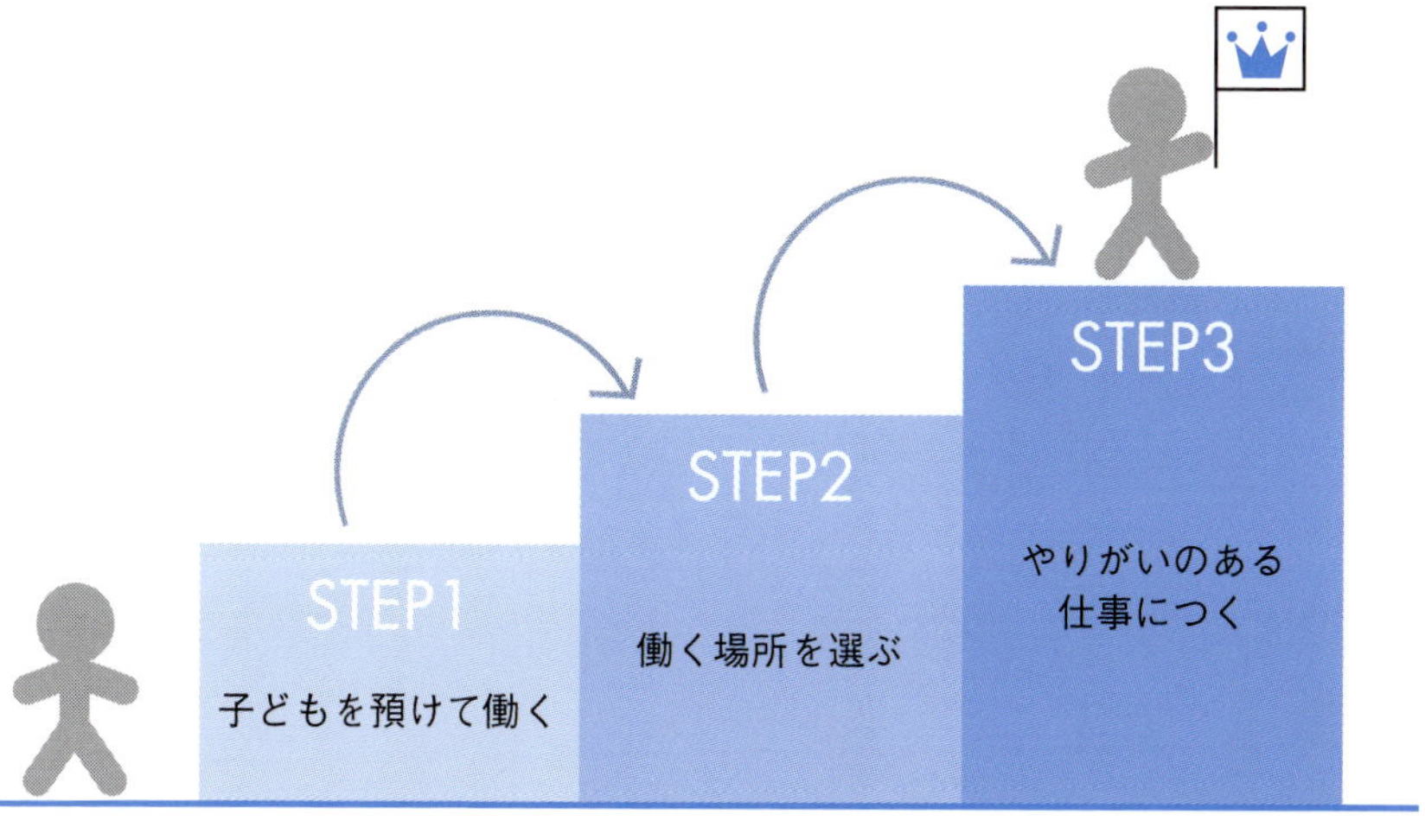

Q 前向きになれない。どうしたらいいでしょうか？

はじめまして。私は離婚して1年半です。33歳で、小学1年生の男の子とふたり暮らしをしています。だいぶいまの生活にも慣れ、がんばって日々を送っています。ただ、夜、布団に入るときやひとりになったときなど、ふと過去のつらかったことが思い出され、どうしようもなく苦しくなり、泣きやむのにも時間がかかってしまうような状態になるときがあります。苦しくて、どうしたらよいのか悩んでいます。

離婚の原因は元主人の浮気でしたが、相手の女性とおたがいが本気になってしまい、私のことをもう生理的に受けつけないとまで言われ、ショックを受けました。なによりも傷ついたのは、私になかなか2人目の子ができず不妊に悩んでいた時期に、相手の女性とのあいだに子どもが二度もでき、中絶させたという事実です。

彼に「子どもって簡単にできるんだな。おまえの体を基準に考えていて避妊もしなかったんだよ」と言われ、言葉を失いました。

いまでも産まれたばかりの赤ちゃんを見ると、その言葉を思い出してしまい、とてもつらい気持ちになります。

離婚したことに後悔はまったくないのですが、過去を振り返っては涙してばかりで、これではいけないと、自分の精神的な弱さを反省しています。どうしたら過去を振り返らず前向きに生きていけるのか、アドバイスくださるとうれしいです。

Answer d(^_^o)

マイナス気分にはまりそうなときは、行動をきりかえてみる

離婚によるトラウマは、多かれ少なかれ離婚経験者には誰にでもある問題です。それだけ離婚はマイナスのエネルギーを使う経験だからです。

ましてやあなたのように元夫の浮気が原因で傷つけられた経験は、なかなか忘れることができずに苦しいでしょう。つらい気持ち、よくわかりますよ。それでも離婚は間違いではないと確信でき、お子さんと2人で前向きにがんばっているごようすは本当にすごいと思います。

あなたも感じているように、過去の出来事を変えることはできません。でも、過去の出来事をとらえているマイナス感情を変えることはできます。つらい気分や悲しい気分は、自分自身が選んでいるもの。悩みを抱えないようにするためには、選ばないようにすればよいのです。でも、わかっていても選んでしまうのは、離婚経験をとおして長い時間をかけてつくられてしまったマイナスの思考習慣があるからです。頭でわかっていても三日坊主になりがちですが、がんばって百日続けることができれば、意志してやっていたことも、あたりまえのようにできるようになります。プラス思考になれるように、あなたが簡単にできることを考えてみましょう。

たとえば、私はマイナス気分に落ち込みそうになるときには行動のきりかえをします。好きな音楽を聴くとか、ネイルアートをするとか、簡単にできて気分がよくなる行動を選んで気持ちをきりかえるようにしています。

それでもなかなか自分の力ではきりかえられないという場合には、カウンセラーやセラピストなど専門家の力を借りて、プラスのエネルギーのつくり方を学んでください。きっとできますよ。がんばってくださいね。

つらい気分や悲しい気分は、みずから選ばなければよい

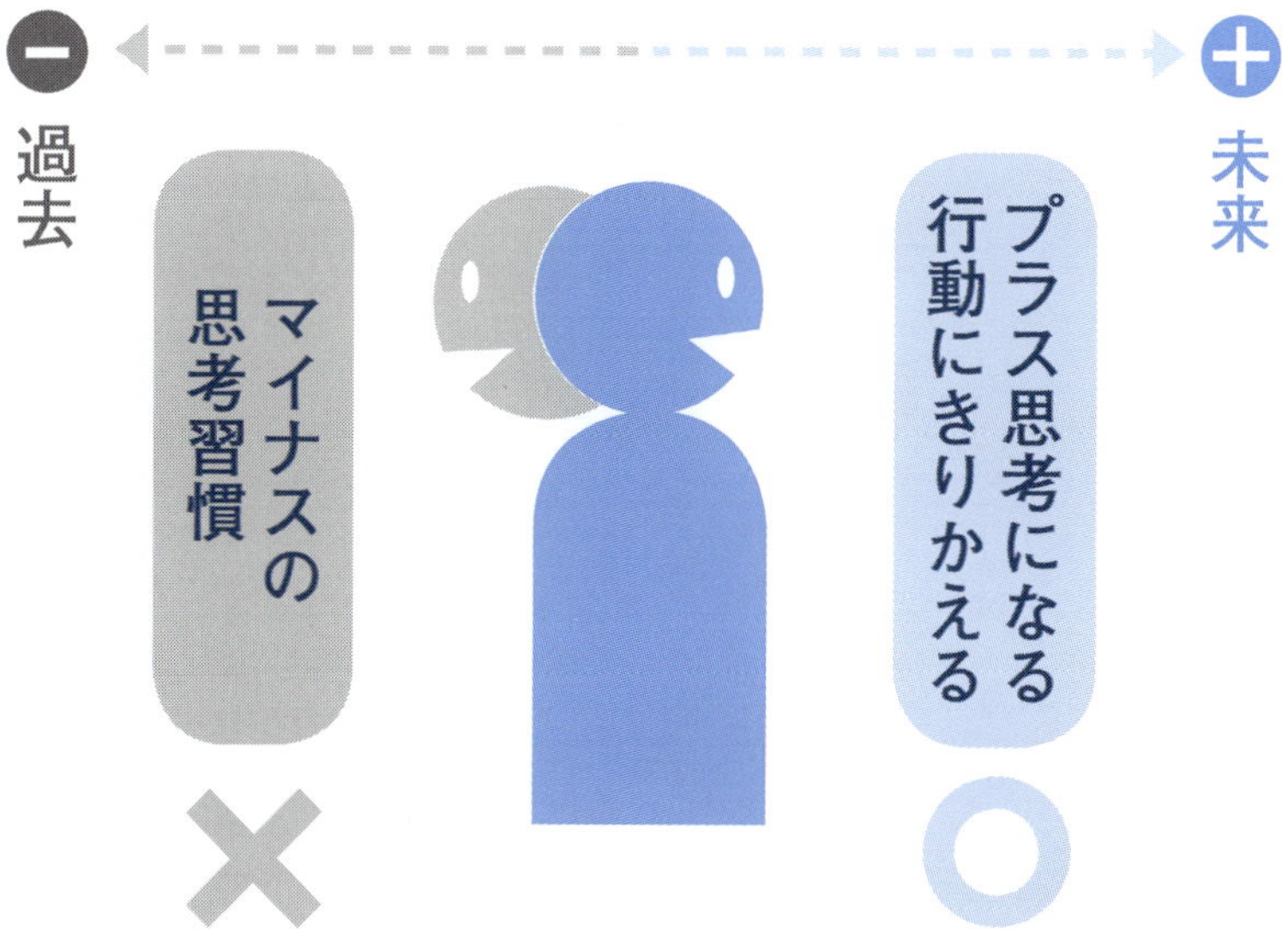

Q 母子家庭は恋愛したらいけないでしょうか？

離婚して3年が経ちました。小5の娘がいます。いいま、つきあってる人がいます。娘とも仲がよく、私にはもったいないくらいに、とってもいい人です。

子どもと一緒にデートをするのは楽しいのですが、せっかくの恋愛期間、彼とふたりっきりで楽しい時間をすごしたいという思いもあります。子ども抜きのデートの時間をどう確保したらいいでしょうか。そんなことを考えるのは母親失格でしょうか？

また、本気で結婚しようと思い、私の両親に「紹介したい」と連絡したら、「連れてこなくていい」と言われました。両親のことを考えると、このまま無視して事を進めるわけにもいかず、困っています。理解してもらえるよう努力したいけど、どうしたらいいのかもわからずに悩んでいます。

Answer @^▽^@ 素敵な恋愛をしているシングルマザーもたくさんいます

恋愛に前向きなあなたは魅力的で素敵な女性なのでしょう。離婚したばかりのころは、もう恋などしないし、子どものためだけに生きていくと思う人が多いのですが、数年すると気持ちは変わります。素敵な恋をしているシングルマザーもたくさんいますよ。

デートの時間は、みんないろいろ工夫しているようです。子どもが学校や保育園に行っている時間に、たまには彼に有給をとってもらう、あるいはベビーシッターを利用するなど、2人のデートの時間を大切にするのは悪いことではないと思います。理解のある友人がいれば、預かってもらうなどの手もありますね。

心配されている親御さんの件も多い相談です。離婚でつらい思いをしたあなたを見てきたので、心配で喜べないのでしょう。そうはいっても親子、あせらずに誠意をつくして、彼にも協力してもらって説得していけば、いつかはわかってもらえると思います。

Q 思春期の子育てを思うと不安になります

32歳のシングルマザーです。子どもは10歳の男の子です。いまは素直な息子ですが、これから難しい年頃になると、男親を必要とするのかなって漠然とした不安があります。とくに思春期の時期は、反抗期もあるだろうし、男親にしかわからないこと（性教育）なども、父親がいないことでうまく伝えられないのではと思うと、いまから不安でしかたがありません。

Answer (^v^) 片親の役割を果たすサポーター的存在を友人・知人にもとう

男の子も女の子も小学校の高学年ごろから思春期の反抗期が始まり、気持ちも不安定に揺れ動きます。同性ならなんとなくわかる気持ちの不安定が異性の子どもになるとわかりにくくて悩むのは、ひとり親家庭のみならず、子育て中の親が抱える共通の悩みかと思います。同様に父子家庭からも、思春期の女の子への対応について、悩み相談が多く寄せられます。

この時期は確かに難しく、「男は男同士」「女は女同士」で相談したいことも出てくるかと思います。そのとき、同性の父親や母親が近くにいないのはリスクではあります。対策としては、そういった役割を果たしてくれるサポーター的存在になる友人・知人をもつことをおすすめしています。

それにはお母さん自身がふだんから人づきあいを大切に生活し、頼りになる男友だちをたくさんもつこと。友人家族と家族ぐるみでおつきあいして、友人の夫にサポーターになってもらうのもいいと思います。いまから助言してくれる人を見つけて、「わが子が思春期の時期には相談にのってあげてね」とお願いしておくといいでしょう。

また子どもは自分の力で、子ども同士で相談したり、身近な大人に相談したり、上手に悩みを解決していける力がありますので、あまりあせらずに、わが子を信じて大きく構えて乗りきってください。

Q 再婚したいけど不安です

結婚を前提におつきあいしている人がいます。彼は独身で、私の子どもは3歳です。離婚後、元夫と子どもは定期的に面会しています。面会時には、子どもが小さいこともあって私も同席します。

　彼とはつきあいはじめて半年、私の子をわが子のように可愛がってくれています。だけど元夫と子どもの面会については反対で、「結婚したら元夫に連絡をとるのも、子どもを会わせるのもやめてほしい」と言われています。

　私は頭では、子どもにとっては実の父親とも交流していけたほうがいいとは思っているのですが、そんなことで彼と喧嘩をして、この結婚が駄目になるのが怖いです。まだ子どもは3歳で小さいので、いまなら彼を実の父親として育てていけるのではないかとも思います。でも、このことを元夫に伝えて理解してもらえるはずもなく、あいだにはさまれて身動きができない状態です。どうしたらいいでしょうか？

Answer d(^v^)b 思っていることをぶつけあって、ストレスのない関係をつくる

離婚後に前向きに恋愛をして、あなたのように幸せなステップファミリーを目指しているシングルマザーもたくさんいます。お子さんと新しいお父さん、実のお父さんとの関係、難しいですね。

　まず考えてほしいのは、お子さんのためにどうするのがいちばんいいのかということです。嘘をついて、再婚する彼を実の父親と信じさせて育てていっても、お子さんがいつかどこかで真実を知るときがかならずきます。そんなときにどうでしょうか？

　きっとお子さんは新しいお父さんも受け入れられるし、実のお父さんとも交流していけると思います。あなたもそれがいちばん理想的だと思っているのではないでしょうか？

　そのことで意見が合わずに彼と喧嘩をしたくないというお気持ちもわかりますが、子どもにとってどうあるべきなのかをきちんと話しあえないまま結婚して、

果たしてうまくいくでしょうか?

　ステップファミリーとして結婚し、子育てや価値観の違いを、相手に遠慮して我慢した挙句にまた離婚、というパターンを多く見ています。相手が独身でこちらが子どもを連れての再婚であるとなおさら、「子どもをみてもらっているから」という負い目もあって、対等に意見をぶつけられなかったという話も聞きますが、思っていることをしっかりとぶつけあってストレスのない関係を築いてから再婚を考えたほうがいいのではないでしょうか?

　面接については、彼にもいろいろな書籍やホームページなどを読んで「子どもの権利である」と理解してもらったうえで、どうしていくのがいいのか、一緒に考えていけるといいですね。素敵な家族をつくっていくためにもがんばってください。

子どもは、新しいお父さんも受け入れられるし、
実のお父さんとも交流していける

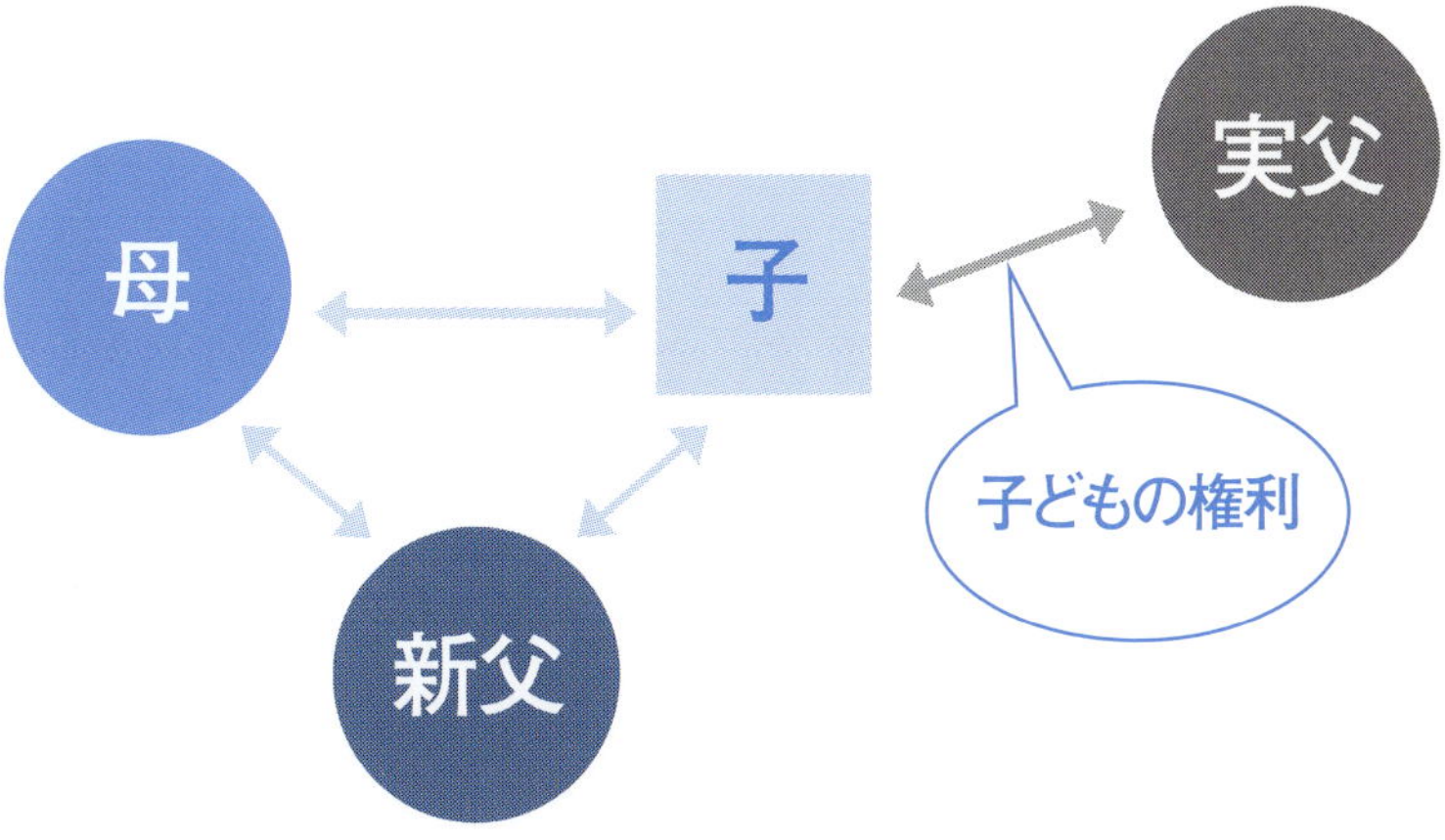

Q 養育費について教えてください

3年前に離婚しました。4歳の子を育てるシングルマザーです。離婚の際に「養育費なんかいらない」と言ってしまい、とり決めをしないで離婚してしまいました。しかし現在、休職中で生活も苦しく、できることならいまからでも養育費をもらいたいと思っています。どんな手順で交渉を進めたらいいですか？　また過去に遡って請求することはできるでしょうか？　金額については相場がありますか？　話しあいにあたっての注意点などがあれば教えてください。

Answer

!!(^Q^)/″

離婚後でもとり決め可能。金額には参考になるガイドラインがあります

財産分与や慰謝料とは違って、養育費には時効はありません。お子さんが成人するまで、離れている親にも扶養する義務がありますので、離婚後でも請求することはできます。ただし、過去に遡ってというのは無理です。今後のことをとり決めて、守ってもらうために、債務名義（公正証書や調停調書）の作成をするとよいでしょう。公正証書よりも調停調書のほうが費用的には負担が少ないので、調停をおすすめします。

相手にいきなり調停呼びだしがいくのも気分のいいものではないと思いますので、連絡がとれる状態なら、手紙などで話しあいをしたいということを伝えたうえで、養育費の調停をされるのがベストです。

養育費の金額については、巻末に裁判官がつくったガイドラインがあります。夫の年収と妻の年収で金額が算定できるようになっていますので、参考にされるといいかと思います。ただし、あくまでも参考程度に、おたがいの生活状況に合わせて、納得のいく金額を話しあいでとり決めるのが理想です。

また、養育費の支払い状況は日本では非常に悪く、とり決めをしても支払いが継続されているのは2割にも満たないというのが現状です。万が一、支払いが滞った場合には、債務名義があれば間接強制や強制執行という法

的手段をとれます。相手が働いていて定期的な収入がある場合には、将来にわたって給料から差し押さえができるようになっています。

そうはいっても重要なのは、親としての責任感と誠意の問題です。離れて暮らす親がお子さんに対して、しっかりと誠意や愛情をもって責任を果たしてくれるかどうかがポイントです。受けとる側も、お金だけもらって当然というのでは、なかなか難しいでしょう。離婚で夫婦関係は終わっていますが、親としての新たな関係を築いていかなくてはならないのです。

養育費の調停を申請したところ、相手方から面会交流の要求をされたというケースも多くあります。そのあたりも覚悟のうえ、お子さんのためにどうあるべきなのかを考え、養育費や面会交流をふくむ、離婚後の親子交流について考えていくべきかと思います。

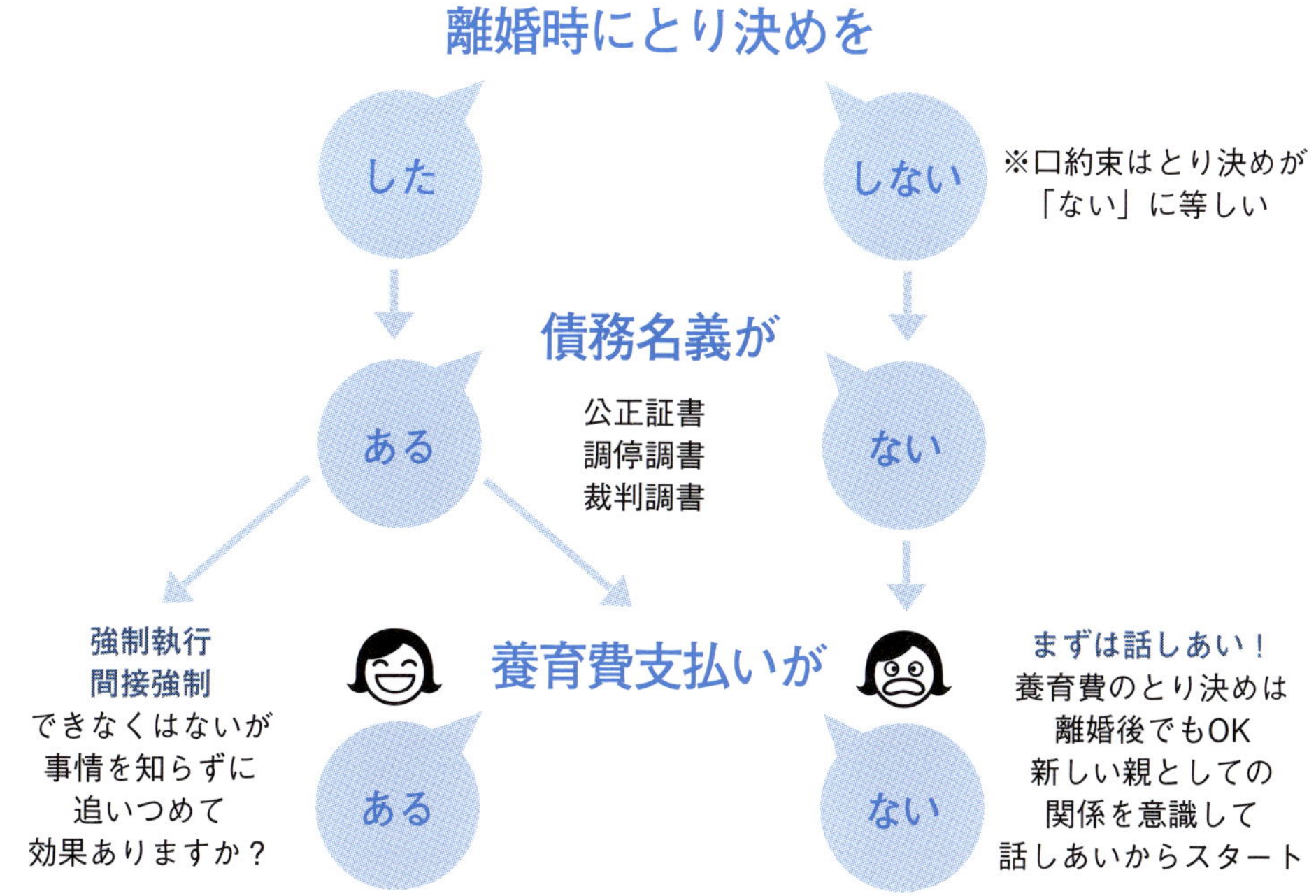

Q 未婚の場合の養育費、認知は必要ですか？

出産前に結婚の口約束はしていたのですが、結局入籍してもらえず、未婚で子どもを出産しました。しかし、胎児認知はしてもらっています。

現在、その男性とは別れていますが、認知の場合は離婚と違って、養育費は払わないと言われていますが、養育費はもらえないのでしょうか。もらえるとしたら、払わないと言っている人にどういうふうに請求したらいいのでしょうか？

Answer (⌒▽⌒)／ 認知があれば父親として養育費を支払う義務があります

認知があるのであれば、父親として養育費を支払う義務があります。相手に頼らずに自分ひとりで育ててみせると認知請求をしないで別れてしまう人がいますが、子を育てていく過程では、いつ、どんな理由で父親のサポートが必要になるかわかりません。そんなときのためにも認知はしてもらいましょう。認知の訴えは、父の生存中であれば、出生後何年たっても提起することができます。

ご相談の養育費についてですが、まずは書面などで子どものための権利であること、父親としての義務があることをお伝えになって話しあいをされることをおすすめします。

どうしても相手が話しあいに応じない場合には、家庭裁判所にて調停をおこない、審判で養育費の金額のとり決めをすることもできます。金額に関しても、相手の年収とあなたの年収を考慮して、算定表に基づいて考えられます。

とり決めた金額は公正証書や調停調書にすることで債務名義になるので、支払いがされない場合には間接強制や強制執行により、相手の給料から定期的に支払われるようにすることが可能です。

あなたのように未婚で出産するシングルマザーも増えています、どうかがんばってください。

Q 養育費が未払いになりました

私は4歳の男の子の母です。主人とは2年前に暴力が原因で調停離婚しました。その際、一括で支払いできないからと、解決金と養育費は合計5万円を毎月分割で払うという調停証書をつくりました。

いままでは毎月きちんと支払われていたのですが、ここ数ヶ月前から、給料が安いので払えないというメールがたびたび入るようになりました。そのたびに「親として義務と責任は果たしてください」と返信し、月末ぎりぎりに振り込まれていました。

ところが、仕事を辞めたから今月は払えないと一方的なメールがきて、返信しても返事も電話もありません。私だけの給料では生活もままならない状況で、考えると不安です。

きちんと支払ってもらうためには、どうしたらいいでしょうか？　仕事を辞めたということですが、本当かどうかもわかりません。

Answer (＾u＾)

なんとかしなくてはと思わせる対応を考えてみて

養育費の未払いに関しては、債務名義（あなたの場合は調停調書）があれば間接強制や強制執行が可能ですが、状況に合わせて考えていかなくてはならないと思います。彼はこれまで2年間は、しっかりと責任を果たしてがんばってこられたとのこと、減給や転職で状況が変わって本当に払えない状況であるならば、現状は待つしかないとは思います。

ご自身の生活もままならないということで、苦しい状況をお察しします。ここはまず、母子福祉生活資金の貸付を利用することなどを検討され、彼に対しては「なんとかしなくては」と思ってがんばってもらえるような対応をしていくのが得策かと思います。人は追いつめても逃げるばかりなのです。彼が逃げずに誠意をもって連絡してくれるように、そしてがんばれるようにするためには、あなたの対応がどうであればいいと思いますか？　考えてみてください。心より応援しています。

Q 父親に子どもを会わせたいけれど、直接交渉したくない

親権者が私で離婚が成立しました。２人の子どもがあり、離婚後、子どもたちは父親には会っていません。子どもたちの気持ちを考えると、離婚は親の都合なので、離婚後にも親子交流していけたらいいかなと思うのですが、嫌いで別れた相手なので直接交渉するのは気が重いです。

調停にて、面会交流について話しあいをしたいのですが、その手順を教えていただけますでしょうか？

これは弁護士に依頼すべきでしょうか？

Answer o(^−^)o

子どもはこれまでどおり、両親と交流し、愛されて育つのが理想的

離婚まではいっぱいいっぱいで自分のことしか考えられなかったけれど、新しい生活に慣れたころに、子どもを父親に面会させたいと考える親もいます。離婚は親の都合によるものなので、子どもに罪はありません。これまでどおり両親と交流し、愛されて育つことが理想的ですが、さまざまなケースがあります。

離婚時のマイナス感情が高まったままだと、冷静に考えられずに、せっかく片方が会わせたい、会いたい気持ちになっても、面接交渉（＝面会交流）を拒否する親もいます。また直接、相手方と交渉することが非常にストレスになる場合もあるので、調停をとおして話しあいをおこなうのはよい選択だと思います。

調停には弁護士はかならずしも必要ありませんが、アドバイザーが必要な場合もありますので、状況にあわせて考えていくことをおすすめします。

調停は、相手方の住む管轄の家庭裁判所に申し立てをします。詳しくは家庭裁判所にお問い合わせいただき、申請書類見本を参考に記入し、申請してください。

Q　別れた相手を信用できない。面会交流は必要でしょうか？

先月離婚して、シングルパパになりたての23歳の者です。いまは2歳半の娘と実家に帰って暮らしています。悩んでることは面会交流についてです。

離婚の理由は、性格や考え方の違いでした。親権について話しあい、妻には収入もなく、実家も借金だらけで経済的に余裕がないことから、私が子どもを育てるということで合意しました。しかし、娘は母親といたほうが幸せになれると思い直し、話をしたところ、拒否されました。自信がないと言われたんですが、そのとき妻には好意をよせる異性がいたのです。

それを知って私は激怒して「今後、子どもは会わせないし縁を切る」と言ってしまいました。彼女は後悔し、すぐにその異性とは関係を切ったのですが、私からしてみれば一時でも子どもを捨てたことに変わりないので、信用はできません。しかし、それが子どものためになるかといえばわからないので困っています。

Answer　(^o^;　お子さんにとってもっともよいと思われる選択を考えていきましょう

子どもがいる離婚では、夫婦の縁は切れても、親同士としての新しい関係を築いていかなくてはなりません。しかしながら、相手を恨んで別れる人が多いため、すぐに親としての良好な関係を築ける人は少ないようです。

離婚による被害者は、当事者よりも子どもであるということを忘れないでください。子どもは自分のおかれる境遇を選べません。ある日突然、両親の勝手な意思で片方の親と暮らせなくなるのです。どんな親であれ、子どもにとっては大切な存在です。大人が大人として、子どもの立場や気持ちを尊重した対応ができることが望ましいと思います。あなたのつらいお気持ちもわかります。お子さんにとってもっともよいと思われる選択を考えていこうとしている姿勢は、とてもすばらしいと思います。すぐに動けなくても、いつかお子さんにとってのよい選択をしてください。

Q 父子家庭になったら仕事と子育てどうするの？

はじめまして。シングルパパになって4ヶ月の初心者です。

子どもを引きとって離婚したお父さんたちは、仕事と子育ての両立をどうされているのでしょうか？　何かアドバイスがあればお聞きしたいと思い、相談します。

私は38歳、娘は4歳（現在保育園）です。娘の保育園は、延長保育をふくんで朝の7時半～夕方6時半までです。私はいままでは、某店舗運営企業の経営幹部陣に名をつらねていたのですが、さすがに実際に仕事をする時間を考えると、移動（通勤など）を抜いての勤務時間が9時～17時くらいしか確保できません。そのため、多数の部下の手前まずいということで退職いたしました。まあ、解雇ですが……。

それは仕方がないとして、これからどうしようか、というところです。転職先を探すわけですが、転職の際に注意すべき点などをご助言いただければ幸いです。

Answer (*^_^*) 父子家庭にも、母子家庭と同様の手当や支援があります

離婚の増加にともなって父子家庭数も増えています。現在は核家族化や実家が遠いなどの理由から離婚後に親を頼れずに、自力で子育てと仕事を両立していかなくてはならないお父さんが増えています。

母子にできて父子にできないことはないといわれますが、社会的に男性が子育てをしながら働ける環境や制度が確立されていないため、父子には苦労があるのも現実です。

父子家庭のお父さんにはこれまで福祉の支援が何もないとあきらめてきましたが、２０１０年から児童扶養手当が支給されるようになりました。それにともない、母子家庭と同様にさまざまな支援が受けられるように改正が進んでいます。

「母子及び寡婦福祉法」が「母子及び父子並びに寡婦福祉法」に改称され、本書に掲載されている母子家庭向け支援は、父子も受けられるようになりました。

ただし、これらの支援は待っていて情報が入ってくるものではありませんので、自分でアンテナを張ってとりにいかなくては生かせません。相談窓口に足を運び、父子家庭であることを伝えて利用できそうな制度を上手に生かしてくださいね。

また、ひとり親家庭向けの支援だけではなく子育て家庭を支援するファミリーサポートサービスなども利用できます。その他、民間がおこなっている地域の子育てサービスを上手に利用する。2重保育や放課後保育なども考え、上手に時間のやりくりをしてがんばっているお父さんもたくさんいますので、孤立しないで仲間とつながって上手に情報交換することもおすすめします。

家事、育児に関してはベビーシッターやホームヘルパーサービスをうまく利用しているお父さんもいます。少しずつですが「イクメン」が推進されて、男性の子育て参加に理解がある会社も増えているので、転職される際にはそのあたりを見極めることも大切です。

（Q&A回答者・新川てるえ）

パパにやさしい！　家事・育児・助っ人サイト情報

食事に困ったら

男が作れる超簡単料理
http://otoko-cooking.com/
手間がかからずおいしいお料理レシピを紹介

セブンイレブンのお食事お届けサービス「セブンミール」
http://www.7meal.jp/
管理栄養士が監修した食事や調理用食材パックなどが毎日届く

育児に困ったら

こそだて Papa Style
http://www.kosodate.co.jp/dad/
イクメンのための基礎講座サイト。育児用品・予防注射・遊び方など。

パパの悩み相談横丁
http://www.papanonayami.net/
子育ての悩みを相談できる。悩み・不安・愚痴……をスッキリ解消。

掃除に困ったら

ダスキン　家事代行サービス
http://www.duskin.jp/service/merrymaids/
忙しいパパに代わって家事代行してくれる

クロネコヤマト　ヤマトホームコンビニエンス
http://www.008008.jp/life/
お掃除、家事手伝い、家具の移動やリサイクルまで

法律相談の利用のしかた

限られた時間内で法律相談を上手に利用しましょう。
法律相談センター
http://www.horitsu-sodan.jp/
弁護士会　家庭法律相談センター
http://www.katei-houritsu-soudan.jp/main.php

誰に相談するか?

法律相談には、自治体などで定期的に開催している市民のための無料法律相談、女性センターなどで開催している女性のための無料法律相談などもありますが、なかなか予約がとれないこともあります。お急ぎであれば有料相談を検討しましょう。

誰に相談するかは、口コミで信頼のおける弁護士に依頼できればそれがいちばんですが、ツテのない場合は、弁護士会などに相談されるのが確実です。また、ウェブサイトでもいくつか検索し、探すことができます。

弁護士には専門分野がありますので、離婚や女性問題に強い弁護士を探すことをおすすめします。弁護士の資格があれば誰でもいいというわけではありません。

費用はどのくらいかかる?

弁護費用は、個々の弁護士がその基準を定めていて、標準小売価格というようなものはありません。相談料の目安は、だいたい30分５０００円程度の設定が多いようです。相談にいくまえにかならず、相談料については直接確認しましょう。

限られた時間を有効活用するために

弁護士はカウンセラーではありませんので、あなたの悩みや愚痴の聞き役ではありません。また、離婚問題に関しては、ほかの事件と比べて弁護士報酬も少ないことから、「離婚問題はできればあまりやりたくない」という弁護士が多いのが現状です。

しかし、困っている人の力になりたいと、離婚問題に力を入れている女性弁護士などもなかにはいます。そういった人にうまく出会えると、恨みや悩みも受けとめてもらえるかもしれませんが、多くの場合は違うということを認識して相談に臨みましょう。

相談シートを作成しましょう

相談機関を訪れるときには手ぶらではなく、手書きでもいいので、相談に必要な情報をまとめてから行きましょう

本人のこと

生年月日／昭和39年8月22日
職業／会社員（株式会社ウインク勤務　勤務歴10年）
年収／約300万円
現住所／〒123-0001　東京都●●区●●3-1-8-8　グランドハイツ112
連絡先／03-123-4567
健康状態／軽いうつで2週間に1回、心療内科に通院しています。

相手のこと

生年月日／昭和38年12月20日
職業／会社経営者（設立10年）
年収／約800万円
現住所／〒123-0001
東京都●●区●●3-18-8
連絡先／携帯メール連絡のみ
090-1234－5678

相手との関係

元夫　離婚から3年が経過

これまでの経緯

2000年12月　調停により離婚が成立
その際、親権を母親に、養育費は月額５万円でとり決め
2000年6月　5月の振込みをもって養育費が未払いになる
2000年8月　内容証明郵便で支払いの督促をするが、連絡がなく無視される
2000年10月　たびたびのメールの催促に返事が届く
仕事の収入が不安定なため養育費を減額したいことと、養育費を払うのであれば、子どもとの面会交流をとり決めたいとのこと

家族構成

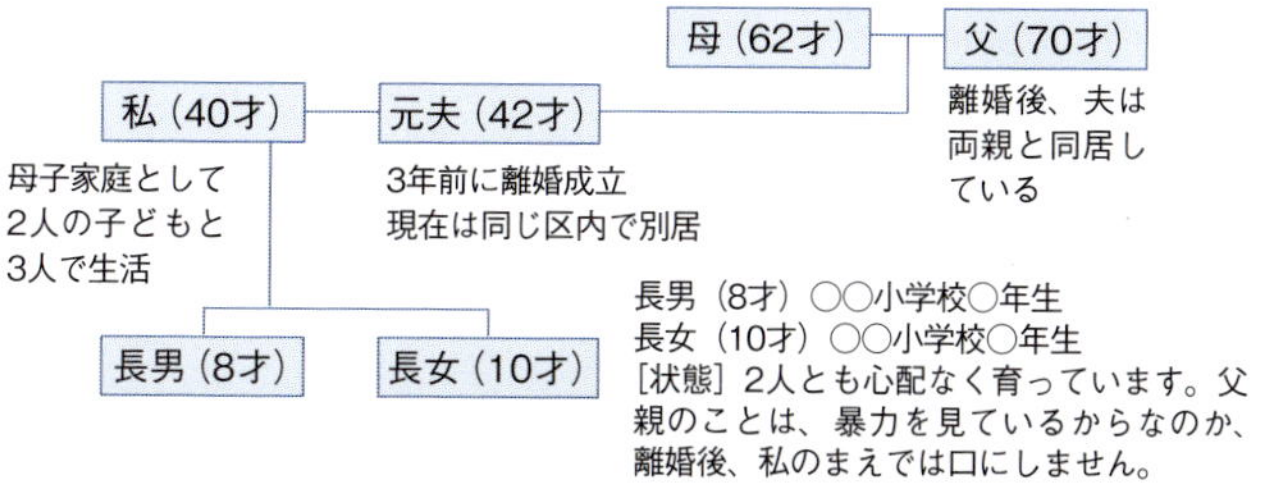
母（62才）
父（70才）
私（40才）
元夫（42才）
離婚後、夫は両親と同居している
母子家庭として2人の子どもと3人で生活
3年前に離婚成立
現在は同じ区内で別居
長男（8才）
長女（10才）
長男（8才）○○小学校○年生
長女（10才）○○小学校○年生
[状態] 2人とも心配なく育っています。父親のことは、暴力を見ているからなのか、離婚後、私のまえでは口にしません。

私の考え

・約束した養育費は減額などしないでしっかりと払いつづけてほしい。
・面接に関しては離婚の理由が相手からの暴力だったため、いまでも相手に対する恐怖心があって関わりたくない。
・養育費との引き換えで嫌がらせを言っているのではないかと思う。
・面会は、私も子どもも不安定になるのでさせたくない。

本日、確認したいこと

滞納された養育費をまとめて支払わせるためにはどうしたらいいか？

相手が減額のために調停をおこしてきたら調停にいかなくてはならないか？　無視することはできないか？　無視した場合にはどうなるか？

今後の支払いも不安なので、財産を差し押さえて一括で将来分まで受けとることはできないか？

元夫に子どもを会わせないといけないか？　会うために相手はどんな法的な手段をとることができ、それにどう対処したらいいのか？

女性センターの活用法

女性センターには、①情報提供・収集、②学習・研修、③女性問題の相談（DV等）、④調査・研究、⑤交流（個人・団体）など5つの総合機能があります。

法律、労働、家庭など女性のための悩み相談窓口がいっぱい

女性センターとは、都道府県・市区町村等が自主的に設置している女性のための総合施設です。「女性センター」「男女共同参画センター」など名称はさまざまですが、どのセンターも「女性の問題の解決」「女性の地位向上」「女性の社会参画」を目的としており、女性が抱える問題全般の情報提供、相談、研究などを実施しています。

なかでも、女性のための相談窓口は無料で、しかも自治体がおこなっているほかの相談窓口より、あるていど時間をかけて悩みを聞いてもらえるので、離婚問題で悩んでいるなら利用してみる価値は十分あります。ただし、利用時には予約が必要な場合が多いので、希望者はあらかじめ問い合わせをしてみましょう。

数ある女性センターのなかでも「配偶者暴力相談支援センター」に指定されている施設では、配偶者からの暴力専門の相談窓口を設置している施設もあります。

法律問題や就労に関する情報収集も女性センターでできる!!

また、女性センターは女性に関する情報収集をする場としても便利です。たとえば、どのセンターにも設置されている資料室では、一般の図書館より離婚や家庭、子育てなど、女性問題に関する本やビデオなどの資料が充実しており、効率よく情報を入手することが可能。また、労働相談などの窓口では、女性の自立支援のための情報や求人情報の探し方など、具体的な就職活動のアドバイスをしてもらうこともできます。

このように女性センターは、悩んでいる女性たちにとって有用な機能がたくさん設けられています。これからどうしたらいいか迷っているなら、一度、最寄りの女性センターへ足を運んでみることをおすすめします。

全国の女性センター一覧

ひとりで悩まないで相談してみよう！（いずれもホームページあり）

センターの名称	住所	電話番号	Fax番号
北海道立女性プラザ	札幌市中央区北2条西7丁目 かでる2・7 6階	011-251-6329	011-261-6693
青森県男女共同参画センター「アピオあおもり」	青森市中央3-17-1	017-732-1085	017-732-1073
みやぎ男女共同参画相談室	仙台市青葉区本町3-8-1 宮城県庁本庁舎13階	022-211-2570	——
岩手県男女共同参画センター	盛岡市盛岡駅西通1-7-1	019-606-1761	019-606-1765
もりおか女性センター	盛岡市中ノ橋通1丁目1-10 プラザおでって5F	019-604-3303	050-2013-4750
秋田県中央男女共同参画センター「ハーモニープラザ」	秋田市中通2-3-8 アトリオン6F	018-836-7853	018-836-7854
秋田県北部男女共同参画センター	大館市字馬喰町48-1	0186-49-8552	0186-49-8589
秋田県南部男女共同参画センター	横手市神明町1-9	0182-33-7018	0182-33-7038
山形県男女共同参画センター「チェリア」	山形市緑町1-2-36 遊学館2F	023-629-7751	023-629-7752
福島県男女共生センター「女と男の未来館」	二本松市郭内1-196-1	0243-23-8301	0243-23-8312
女性プラザ男女共同参画支援室	水戸市三の丸1-7-41　いばらき就職支援センター3F	029-233-3982	029-233-1330
とちぎ男女共同参画センター「パルティ」	宇都宮市野沢町4-1	028-665-8720	028-665-8726
ぐんま男女共同参画センター「とらいあんぐるん」	前橋市大手町1丁目13－12	027-224-2211	027-224-2214
埼玉県男女共同参画推進センター「With You さいたま」	さいたま市中央区新都心2-2	048-601-3111	048-600-3802
千葉県男女共同参画センター	千葉市稲毛区天台6-5-2　千葉県青少年女性会館2F	043-252-8036	043-252-8037
東京ウィメンズプラザ	渋谷区神宮前5-53-67	03-5467-2455	03-5467-1977
神奈川県立かながわ男女共同参画センター	藤沢市鵠沼石上2-7-1	0466-27-2111	0466-25-6499
新潟県男女平等推進相談室	新潟市上所2-2-2　新潟ユニゾンプラザ3F	025-285-6605	025-285-6612
富山県民共生センター「サンフォルテ」	富山市湊入船町6-7	076-432-4500	076-432-5525
石川県女性センター	金沢市三社町1-44	076-263-0115	076-263-0118
福井県生活学習館「ユー・アイ　ふくい」	福井市下六条町14-1	0776-41-4200	0776-41-4201
山梨県立男女共同参画推進センター「ぴゅあ総合」	甲府市朝気1-2-2	055-235-4171	055-235-1077
山梨県立男女共同参画推進センター「ぴゅあ峡南」	南巨摩郡南部町内船9353-2	0556-64-4777	0556-64-4700
山梨県立男女共同参画推進センター「ぴゅあ富士」	都留市中央3-9-3	0554-45-1666	0554-45-1663
長野県男女共同参画センター「あいとぴあ」	岡谷市長地権現町4-11-51	0266-22-5781	0266-22-5783
岐阜県男女共同参画プラザ	岐阜市薮田南5-14-53 OKBふれあい会館第2棟9階	058-214-6431	058-214-6432
静岡県男女共同参画センター「あざれあ」	静岡市駿河区馬淵1-17-1	054-272-7879	054-255-9266
愛知県女性総合センター「ウィルあいち」	名古屋市東区上竪杉町1番地	052-962-2511	052-962-2567
三重県男女共同参画センター「フレンテみえ」	津市一身田上津部田1234番地	059-233-1130	059-233-1135
滋賀県立男女共同参画センター「G-netしが」	近江八幡市鷹飼町80-4	0748-37-3751	0748-37-5770
京都府男女共同参画センター「らら京都」	京都市南区東九条下殿田町70 京都テルサ東館2F	075-692-3433	075-692-3436
大阪府立女性総合センター「ドーンセンター」	大阪市中央区大手前1-3-49	06-6910-8588	06-6910-8624
兵庫県立男女共同参画センター「イーブン」	神戸市中央区東川崎町1-1-3 神戸クリスタルタワー7F	078-360-8550	078-360-8558
奈良県女性センター	奈良市東向南町6	0742-27-2300	0742-22-6729
和歌山県男女共生社会推進センター「りぃぶる」	和歌山市手平2-1-2 県民交流プラザ和歌山ビッグ愛9F	073-435-5245	073-435-5247
鳥取県男女共同参画センター「よりん彩」	倉吉市駄経寺町212-5 県立倉吉未来中心内	0858-23-3901	0858-23-3989
島根県立男女共同参画センター「あすてらす」	大田市大田町イ236-4	0854-84-5500	0854-84-5589
岡山県男女共同参画推進センター「ウィズセンター」	岡山市南方2-13-1 岡山県総合福祉・ボランティア・NPO会館6F	086-235-3310	086-235-3306
広島県女性総合センター「エソール広島」	広島市中区富士見町11-6	082-242-5262	082-240-5441
徳島県立男女共同参画交流センター「フレアとくしま」	徳島市山城町東浜傍示1	088-655-3911	088-626-6189
かがわ男女共同参画相談プラザ	高松市番町1-10-35 香川県社会福祉総合センター3F	087-832-3198	087-831-1192
愛媛県男女共同参画センター	松山市山越町450	089-926-1644	089-926-1661
こうち男女共同参画センター「ソーレ」	高知市旭町3-115	088-873-9100	088-873-9292
福岡県男女共同参画センター「あすばる」	春日市原町3-1-7	092-584-3739	092-584-1262
佐賀県立女性センター・生涯学習センター「アバンセ」	佐賀市天神3-2-11	0952-26-0018	0952-25-5591
長崎県男女共同参画推進センター	長崎市出島町2-11 出島交流会館3F	095-822-4729	095-822-4739
熊本県男女共同参画センター	熊本市手取本町8-9 くまもと県民交流館パレア内	096-355-1187	096-355-4317
大分県消費生活・男女共同参画プラザ「アイネス」	大分市東春日町1-1	097-534-4034	097-534-0684
宮崎県男女共同参画センター	宮崎市宮田町3-46 県庁9号館	0985-32-7591	0985-60-1833
鹿児島県男女共同参画センター	鹿児島市山下町14-50（かごしま県民交流センター内）	099-221-6603	099-221-6640
沖縄県女性総合センター「てぃるる」	那覇市西3-11-1	098-866-9090	098-866-9088

知っておきたい! カウンセリングの利用法

自分の心のなかにたまっている思いをカウンセラーに聞いてもらうことで、気持ちの整理をしてみましょう。

カウンセリングは人生相談とは違います

日本では「カウンセリングを受ける」というと、病におかされているような印象をもたれることが多く、受けていることを、あまり公にしない風潮がまだまだあります。でも、もっと気軽に利用してみてもいいのではないでしょうか。

というのも、カウンセリングというのは、自分の心のなかにたまっている思いをカウンセラーに聞いてもらうことで、自分の考えや思いを気づかせてもらったり、整理したりすることを目指す行為であり、精神科治療を受けるわけではないからです。

たとえば、人間関係がうまくいかないとか、ちょっとしたことで落ち込みやすいなどといった悩みをカウンセラーに聞いてもらうことでその原因に気づき、それをとり除くために、自分は何をしたらいいのか自分で答えを出せるようにサポートしてもらうわけです。

そのため、悩みに対して具体的なアドバイスを与える「人生相談」とも明らかに違います。悩みの答えを出すのは、あくまでも当事者。カウンセラーはそのヒントを与えるのみで、自分の意見を言うことはありません。このポイントをしっかり把握したうえで、カウンセリングを受けることが大事です。

複数のカウンセリング体験をして相性のいいカウンセラーを探す

ところで、実際にカウンセリングを受けようと思ったら、まずは、いくつかのカウンセリングを体験してみることをおすすめします。

カウンセリングの手法や料金は、さまざまで、それを実施している機関も、病院が神経科のなかでおこなっているもの、公共機関がおこなっているもの、個人がおこなっているものなど、バラエティに富んでいます。また、その内容も、家庭問題一般を幅広くとり扱っているところから、離婚問題に絞ってカウンセリングをおこなっているところ、子育てやセックスを専門にしているところなど、本当にさまざまです。まえもって、何のカウンセリングが専門なのかを聞いておくといいでしょう。

そうして、複数のカウンセリングを体験してみると、自分にあったカウンセリング方法やカウンセラーというのがわかってきます。自分にあうカウンセラーが見つかったら、そこから本格的にカウンセリングをスタートすればいいと思います。ある程度、回を重ねてかから、「こんなはずじゃなかった」と後悔しては大変です。

一度も経験したことがないなら、とりあえず公共機関がおこなっている無料カウンセリングから体験してみてはいかがでしょう。また、カウンセリングをしている機関へ実際に足を運ぶのが無理でも、電話でカウンセリングをしてもらうことが可能な場合もあります。

知って
お得な！

先輩たちからのアドバイス

賢いカウンセリング利用術

お試しカウンセリングがおすすめ

離婚準備中からさまざまなカウンセリングを体験してきました。カウンセリングにはさまざまあって、カウンセラーもいろいろな人がいることを知っておくことが大切です。プロといっても名ばかりの人もいるし、相性の合わない人もいます。でも、優れた、相性のいいカウンセラーさんとの対話なら、気づきやパワーが得られるし、誰にも遠慮せずに自分の感情を吐きだせるから、すっきりします。

可能なら普段からリサーチをして、お試しカウンセリングなどを受けておくと、いざというとき役に立ちます。

答えは自分で。カウンセラーはナビ役

カウンセリングを受けようと思ったら、前段として、ある程度、この問題を自主的に解決するのは自分で、その問題整理というかナビの役をするのがカウンセラーだとはっきりわかっていることが前提です。カウンセラーになんとかしてほしいとか、依存度の強い人がカウンセリングを受けても、大金をドブに捨てるようなもんだと、私は思います。

ピア（仲間同士）カウンセリングもおすすめ

ひとりで問題に立ち向かっている孤立感・孤独感や、ほかの人はどうやっているんだろうと思う悩みなら、ワークショップやもっと軽い交流会、勉強会などで心が軽くなることもあります。

自分の気持ちを人前で表現するのに抵抗がなければ、グループ・カウンセリングが料金的にも手軽でおすすめです。

カウンセリング・ヒント

上手に気分転換するために行動をきりかえる

悩んだときのスイッチのきりかえ方

人は悩みを抱えたときに、誰かのせいにしがちです。マイナス思考になるときには、誰のせいでもなく、あなた自身がマイナス思考を選んでいるということに気がついてください。そして、マイナス思考を選択しそうになったときに、上手にスイッチのきりかえができると、大きな悩みを抱えにくくなります。

人の行動は4つの構成要素でなりたっています。「思考」「行動」「感情」「生理反応」です。この4つの要素は連鎖して変わっていきます。「思考」がプラスの場合にはほかの要素もプラスに、「思考」がプラスなのにそのほかの要素がマイナスの人はいません。逆に「思考」がマイナスなのに、そのほかの要素がプラスの人もいません。心の健康と体の健康が比例しているのはこのためです。

悩みそうなときには「気分転換をしましょう」と言いますが、気分転換とは4つの要素のどれかを自分できりかえること。そうすることで、マイナスからプラスに、ほかの３つの要素も一緒に動きます。

自分できりかえができるのは「行動」

では、どこをきりかえてあげたらいいでしょうか。4つの構成要素のなかでもっとも簡単に自分できりかえができるのは「行動」です。マイナスの感情を選んでいるときには「何もしないでうじうじ悩む」など、マイナス行動を選択しがちです。これを意識的にプラスの行動にきりかえてあげると、気分転換になって、深く悩みを抱えることを回避できます。

でも、普段から悩むことが多い人はマイナスの思考習慣ができあがっているので、意識してトレーニングしていかないとなかなかきりかえはできません。まずはすぐにできる行動で、あなたが気分のよくなることを考えてみましょう。

人によっていろいろあると思います。たとえば私は「散歩をする」「マニュキュアを塗る」などの行動をしているときには非常に気分がいいので、落ち込みそうになったときには散歩に出たり、ゆっくりとマニュキュアを塗ってみたりします。そんな時間を過ごしていると、悩みが嘘のように小さくなっていきます。　（新川てるえ）

7
章

シングルマザーの相談窓口ガイド

ひとりで悩まないで！ 相談できる人や話せる仲間がこんなにいます

外に目を向けてみませんか？　視野が広くなると、考え方の幅も広がります。この章は、ひとり親に役立つ、福祉事務所や全国の支援団体、コミュニティサイトを紹介。新生活におおいに活用してください。

福祉事務所・児童家庭課の活用法

ひとり親家庭のためにさまざまな支援や情報を提供してくれる行政の２つの窓口。遠慮しないで上手に活用しましょう！

ＤＶからの脱出、生活保護申請は福祉事務所で！

福祉事務所は、『生活保護法』『老人福祉法』『身体障害者福祉法』『知的障害者福祉法』『児童福祉法』『母子及び寡婦福祉法』のいわゆる〝福祉六法〟に定められた業務を実施する福祉の総合窓口です。全国の市区町村に設置されていて、おもな業務内容は、①生活に困窮している人の相談や生活保護の実施、②高齢者福祉に関する相談、③身体障害者の福祉に関する相談、④援護施設への入所支援、⑤児童、家庭の福祉に関する相談、⑥母子福祉に関する相談などに応えることです。

相談は、おもに社会福祉主事や家庭相談員、婦人相談員など、専門性をもった職員が応じ、適切な助言をおこなってくれます。家庭内暴力からの脱出、緊急避難先の手配や生活費に困って暮らせないなど、緊急性のある相談はためらわずに窓口を訪れてみてください。

生活保護支給日の月の初め（1日～5日くらい）は窓口が混雑するので、極力避けたほうがいいと思います。

ひとり親家庭向けの支援情報は児童家庭課で！

児童家庭課は、子育てに関する相談や子育て支援事業の実施、保育園の管理運営、ひとり親家庭の支援、各種手当の支給・助成など総合的な子育て支援窓口です。

本書に掲載されている児童扶養手当をはじめとするひとり親家庭向けの支援情報は、児童家庭課に置いてある「ひとり親家庭のしおり」などで確認してみましょう。生かしたい支援については、母子自立支援員さんの相談を受けるなどして上手に活用してみてください。

児童扶養手当の現況届の提出時期（8月）は混雑するので極力避けたほうがいいと思います。

●全国の福祉事務所一覧が見られるサイト（厚生労働省）
http://www.mhlw.go.jp/bunya/seikatsuhogo/fukusijimusyo-ichiran.html

児童家庭課一覧

（2017年11月現在）

自治体名	相談窓口	電話番号
北海道	保健福祉部 子ども未来推進局 子ども子育て支援課 自立支援グループ	011-231-4111
青森県	健康福祉部 こどもみらい課 子育て支援グループ	017-734-9301
岩手県	保健福祉部 子ども子育て支援課 子ども家庭担当	019-629-5457
宮城県	保健福祉部 子育て支援課 家庭生活支援班	022-211-2633
秋田県	健康福祉部 子育て支援課	018-860-1342
山形県	子育て推進部 子ども家庭課 母子父子福祉担当	023-630-2267
福島県	こども未来局 児童家庭課 家庭・給付担当	024-521-7176
茨城県	保健福祉部 子ども家庭課 保育・母子福祉担当	029-301-3252
栃木県	保健福祉部 こども政策課 児童家庭支援・虐待対策担当	028-623-3067
群馬県	健康福祉部 児童福祉課 ひとり親家庭支援係	027-226-2624
埼玉県	福祉部 少子政策課 手当・ひとり親家庭支援担当	048-830-3337
千葉県	健康福祉部 児童家庭課 母子福祉班	043-223-2320
東京都	少子社会対策部 育成支援課 ひとり親福祉担当	03-5320-4125
神奈川県	県民局 福祉・次世代育成部 子ども家庭課 家庭福祉グループ	045-210-4671
新潟県	福祉保健部 児童家庭課 家庭福祉係	025-280-5216
富山県	厚生部 子ども支援課 家庭福祉係	076-444-3209
石川県	健康福祉部 少子化対策監室 子育て支援課	076-225-1421
福井県	健康福祉部 子ども家庭課	0776-20-0341
山梨県	福祉保健部 子育て支援課 家庭福祉担当	055-223-1459
長野県	健康福祉部 こども・家庭課 家庭支援係	026-235-7147
岐阜県	健康福祉部 子ども家庭課 家庭支援係	058-272-8326
静岡県	健康福祉部 こども未来局 こども家庭課	054-221-2365
愛知県	健康福祉部 児童家庭課 家庭福祉担当	052-954-6280
三重県	健康福祉部 子ども・家庭局 子育て支援課 子育て家庭支援班	059-224-2271
滋賀県	健康医療福祉部 子ども・青少年局	077-528-3550
京都府	健康福祉部 家庭支援課	075-414-4582
大阪府	福祉部 子ども室家庭支援課 貸付・手当グループ	06-6944-7532
兵庫県	健康福祉部 少子高齢局 児童課 家庭福祉班	078-362-3201
奈良県	こども・女性局 こども家庭課 家庭福祉係	0742-27-8678
和歌山県	福祉保健部 福祉保健政策局 子ども未来課 家庭福祉班	073-441-2493
鳥取県	福祉保健部 子育て王国推進局 子育て応援課	0857-26-7868
島根県	健康福祉部 青少年家庭課	0852-22-5241
岡山県	保健福祉部 子ども未来課 家庭支援班	086-226-7349
広島県	健康福祉局 こども家庭課 家庭グループ	082-513-3173
山口県	健康福祉部 こども・子育て応援局 こども家庭課 青少年・家庭福祉班	083-933-2751
徳島県	県民環境部 次世代育成・青少年課 児童養護・ひとり親家庭支援担当	088-621-2180
香川県	健康福祉部 子育て支援課 児童家庭グループ	087-832-3286
愛媛県	保健福祉部 生きがい推進局 子育て支援課 ひとり親家庭係	089-912-2411
高知県	地域福祉部 児童家庭課	088-823-9654
福岡県	福祉労働部 児童家庭課 ひとり親家庭支援係	092-643-3257
佐賀県	健康福祉本部 こども家庭課	0952-25-7056
長崎県	福祉保健部 こども家庭課	095-895-2442
熊本県	健康福祉部 子ども家庭福祉課 ひとり親家庭福祉班	096-333-2229
大分県	福祉保健部 こども・家庭支援課 家庭支援班	097-506-2703
宮崎県	福祉保健部 こども政策局 こども家庭課 児童支援担当	0985-26-7570
鹿児島県	保健福祉部 子ども福祉課	099-286-2763
沖縄県	子ども生活福祉部 青少年・子ども家庭課	098-866-2174

全国の支援団体

NPO法人

しんぐるまざぁず・ふぉーらむ

シングルマザーが子どもとともに生きやすい社会と暮らしを求める活動グループ

住所：〒101-0051千代田区神田神保町2-28　日下ビル4F
電話／FAX：03-3263-1519
mail：info@single-mama.com

※事務所開設日は毎週月曜日の午後6:30〜8:30です。それ以外はメールかファックスにてご連絡ください。

http://www.single-mama.com/

シングルマザーが生きやすい社会を当事者が力を合わせて目指そう！

１９８０年に、児童扶養手当削減の改悪に反対した母子家庭の母たちが集まって会を発足しました。任意団体として手当削減に対する反対運動などの活動を続け、２００３年、ＮＰＯ法人を取得しました。

母子家庭の当事者を中心に、子どもとともに生きやすい社会をもとめて提言、当事者間の相互支援や交流、他団体との交流をおこなうことを理念に活動しています。

当事者が自分に必要な交流や活動をつくる

活動は、月１回の定例会で話しあいをして、活動方針や予定を考えています。年間３千円の会費を払って会員になると、年５回発行の会報紙がお手元に届きます。

また、新年会や夏合宿などのレクリエーションのほか、アサーティブ・トレーニングやコウ・カウンセリングなど元気になるためのワークショップや、養育費や児童扶養手当、年金などの学習会なども開催。

地域交流がとれるのも会の特徴です。

任意団体として「しんぐるまざあず・ふぉーらむ沖縄」「いい出会いネットワーク・福島」「しんぐるまざあず・ふぉーらむ千葉」、友好団体として「ＮＰＯ法人しんぐるまざあず・ふぉーらむ福岡」「ＮＰＯ法人しんぐるまざあず・ふぉーらむ関西」があります。

全国の支援団体

NPO法人 M-STEP

子連れ再婚家庭とシングルマザーの恋愛、再婚、生活を支援する。

http://m-step.org/

住所：〒110-0015 東京都台東区東上野5-7-3 セブンスターマンション上野406
電話：070-5548-8884
mail：info@m-step.org
※事務所開設日は月～金の10：00～17：00ですが、スタッフが不在のことが多いのでメールでの連絡が便利で確実です。

子連れ再婚家庭と、その予備軍であるシングルマザーの暮らしを応援！

2014年4月、子連れ再婚家庭（ステップファミリー）支援団体として日本で初のNPO法人として設立。

子連れ再婚におけるさまざまな問題と必要とされる支援を国に問題提起するとともに、子連れ再婚家庭予備軍にあたる、シングルマザーの子育てや生活も支援しています。

会員交流会とインターネットによる情報配信

毎月1回、「みなピク」という会員交流会をおこなっています。お弁当持ち寄りのピクニックや茶話会で、それぞれの家庭の悩みを気軽におしゃべりできる場所です。

また、地方に住む方のためにインターネットによる情報配信にも力を入れています。

子連れ再婚家庭が暮らしやすい社会に

まだまだ日本では子連れ恋愛や再婚の抱える問題を知る機会は少なく、当事者さえもどこに相談したらいいのかわからないのが現状です。

子連れ再婚＝ツレ婚家族をもっと世の中に理解して支援してほしいという思いで活動しています。

全国の支援団体

認定NPO法人

フローレンス

「いろんな家族の笑顔があふれる社会」をめざして、ひとり親の子育ても応援！

http://florence.or.jp/

住所：〒102-0072 東京都千代田区飯田橋3-3-7　秋穂セントラルビル2F
電話：03-5275-1161
FAX：03-5275-1171
mail：byoji-contact@florence.or.jp

ひとり親の社会的な格差につながる問題を解決するために病児保育を提供中

ひとり親家庭は、子どもが熱を出したら休みが何日も続いてしまい、収入減や失職のリスクにつながります。母子家庭の多くは経済的に非常に厳しい状況におかれています。また、親の収入格差が子どもの教育格差につながるなど、世代間での貧困の連鎖も起きています。フローレンスは、この悲しい連鎖を断ち切るべく、ひとり親家庭のために低価格の病児保育を提供し、支えあえる社会をめざして活動しているＮＰＯ法人です。

寄付会員制度でひとり親家庭を支える

２００５年から病児保育に取り組み、２００８年７月より、病児保育を通じたひとり親支援をしています。ひとり親家庭に低価格で病児保育サポート（月会費１０００円、１時間１０００円）を提供するために、寄付会員（サポート隊員）を募り、多くの人びとの応援の気持ちをつないでいます。

当日に依頼、自宅でサポートが受けられる

病児保育は、医療機関や保育所などでも実施されていますが、当日の申し込みができない場合もよくあります。フローレンスの病児保育は、その日の朝８時までに依頼すれば利用できます。また、保育スタッフが自宅に派遣され、子どもが慣れた環境で保育を受けられるのも魅力です。

全国の支援団体

NPO法人
キッズドア

困難な環境におかれている子どもたちを対象に、教育支援をおこなう。

住所：〒104-0033 東京都中央区新川2-1-11 八重洲第一パークビル7F
電話：03-5244-9990
FAX：03-5244-9991
mail：info@kidsdoor.net

http://www.kidsdoor.net/

「すべての子どもが夢と希望をもてる社会をめざして学習支援！」

教育に多額の費用がかかる日本では、親の経済力の差が学力格差につながっていて、それが不利な就職にもつながっています。

キッズドアは、経済的に苦しいひとり親家庭や児童養護施設、被災地で暮らす子どもたちが、高校や大学への進学をあきらめることなくがんばれるような社会をめざして活動している特定非営利活動法人です。

無料受験対策講座「タダゼミ」が子どもたちの学習を支援！

タダゼミは、ひとり親家庭や生活保護受給家庭の子どもたちを対象とした、無料の学習支援です。経済的な理由で塾に通うことができない子どもたちを対象に、受験対策講座を無料で開いています。

また、低所得家庭の子どもたちを対象にしたキャリア教育や、東日本大震災で被災した子どもたちのための学習支援や体験活動もおこなっています。

想いのあるボランティアが学習指導にあたります

子どもの教育に関心のある大学生や社会人ボランティアがマンツーマン、もしくは少人数制で学習指導をしてくれます。問題意識をもって対応してくれるので、力強い味方となってくれるでしょう。

知りたいことがわかる

お役立ちコミュニティサイト

出会いがある

情報を自宅でGET! 出会いたい仲間に出会えるから、多忙なひとり親家庭にとってインターネットは便利!

インターネットにある無限の情報。知って生かせる人と知らない人とでは生き方が違ってしまうといっても過言ではないくらい。
図書館、女性センター、ネットカフェなど、パソコンを持っていなくても気軽に利用できる場もたくさんあります。便利に生かしましょう！

ひとり親家庭に関係する

公的支援情報

国の関連機関のひとり親家庭支援の動向に興味をもとう

ゆっくりと新聞を読む暇もないくらい、毎日多忙なシングルマザーたち。せめて自分の生活に関係する国の施策くらいはインターネットで情報を読み、考え、意見したり活用していきましょう。

厚生労働省

国の取り組みと支援について まずはここから

国が取り組んでいるひとり親家庭への支援情報を知りたいときに真っ先にアクセスするのがココです。ただし、ひとり親関係だけではなく、さまざまな情報が満載なので知りたいキーワードを絞って検索しましょう。

● http://www.mhlw.go.jp/

内閣府男女共同参画局

男女平等に向けた さまざまな事業を知って生かそう

男女共同参画の推進体制や女性に対する暴力への対応、啓発活動をおこなっています。女性の就労の再チャレンジもバックアップしているので、注目しておくと就労情報などをいち早くキャッチできるかも。

● http://www.gender.go.jp/

裁判所

離婚後の調停申し立ては 下調べしてから手続きしよう

全国の高等裁判所・簡易裁判所・家庭裁判所の所在地の確認ができます。離婚・養育費・面接交渉などの手続きについて調べられ、さまざまな家庭問題についてのQ&Aも充実しています。

● http://www.courts.go.jp/

日本弁護士連合会

法律相談に迷ったらアクセス！
効率よく弁護士相談を利用しよう

知りあいに弁護士がなく、誰に法律相談をしたらよいか悩んだ人が誰でも相談できるように、弁護士会では法律相談センターを設置しています。相談のコツをウェブサイトで下調べして効率よく利用しましょう。

http://www.nichibenren.or.jp/

法テラス

国が設立した
法的トラブル解決の総合案内所です

全国都道府県の県庁所在地（北海道は、札幌、函館、旭川、釧路）に置かれた地方事務所のほか、支部・出張所において、窓口を設けてサービスを提供しています。法的トラブルの解決に向けて、面談や電話での問い合わせを受け付けています。

http://www.houterasu.or.jp/

養育費相談支援センター

あきらめないで
子どものために養育費を守ろう！

養育費と面会交流について電話やメールによる相談を無料でおこなっています。厚生労働省の委託事業でおこなわれている事業で専門の相談員が対応してくれるので安心して相談ができます。

http://www.youikuhi-soudan.jp/

シングルマザーのコミュニティサイトとブログ

同じ経験をした仲間の声と
励ましこそが力になる！

インターネットに数あるひとり親家庭情報。知りたいことは何でも調べられるけど、先輩たちの経験がいちばん役に立つ。交流を求めてコミュニティサイトにアクセスして、相談しあえる仲間を探そう。

子連れ再婚を考えたときに読むブログ

新川てるえの日常生活ブログ

シングルマザーやシングルファザーからの恋愛相談にブログで回答してくれます。定期的におこなわれる交流会や出会いのパーティなど、楽しいイベント情報なども配信しています。

http://ameblo.jp/terueshinkawa/

母子家庭共和国

日本初のシングルマザー向け情報サイト

１９９７年に新川が立ち上げた、シングルマザーのためのコミュニティサイト。現在は新川が運営するコミュニティサイトへの窓口として運営されています。また、カウンセラー作家としての新川の活動を掲載しています。著者についてもっとくわしく知りたい方はぜひアクセスしてみてください。

http://www.singlemother.co.jp

Facebookコミュニティ
母子家庭共和国SNS

FB利用者なら、このコミュニティに参加!!

ソーシャルネットワークサービスのフェイスブック内にある、シングルマザーのためのコミュニティグループ。クローズドなグループなので、シングルマザーどうし、安心して情報交換や相談ができます。

●Facebook内で「母子家庭共和国」を検索→「グループに参加」。

ウィメンズパーク
シングルマザーの部屋

子育ての悩み、先輩のアドバイスで解決

パパの協力がある家庭とひとり親家庭では、子育ての悩みも違います。困ったとき、先輩シングルマザーのアドバイスほど心強いものはありません。ここでは、先輩からの役立つ経験談やアドバイスに出会えます！

●http://women.benesse.ne.jp/forum/zboca010?CONTENTS_ID=011B0101

mixiコミュニティ
明るく可愛いシングルママの会

恋の相談、遊びの計画、わいわい、がやがや楽しく盛りあがろう

ソーシャル・ネットワーク・サービス「mixi」内にも、ひとり親家庭のコミュニティが多く存在します。ウインクが運営しているコミュニティ（ＩＤ１８３３６３）には、３０００人以上のシングルマザーが登録して交流しています。

ひとりで悩まず相談しよう

各種相談

特殊なジャンルと幅広いジャンルの悩みをサポートしてくれるサイト

離婚後の悩みは人によってさまざま。子育ての悩みに限らず、精神的なストレスや対人関係、就労の悩みや恋愛の悩みまで、自分にあった相談先を上手に選びましょう。

NPO法人M-STEP

家族問題で悩んだら相談！
NPOだから安心、低料金

「子どもの健全育成と大人世代の責任の全う」を理念に社会貢献事業をおこなっているNPO法人。家族問題全般にカウンセリングをおこなっていて低料金で安心。毎週火曜日と金曜日の午後は電話による無料相談もあります。●http://m-step.org/

FPIC
家庭問題情報センター

離婚後に子どもの面会交流で悩んだら相談しよう

家庭紛争の調整に長年携わってきた元家庭裁判所調査官たちが、健全な家庭生活の実現に貢献することを目的として設立した公益法人。各地に相談室があり、東京では面会交流の仲介サービスもおこなっています。

●http://www1.odn.ne.jp/fpic/

ファーザーズウェブサイト

離婚後の親子交流を考えていくためにさまざまな声を聞いてみよう

養育費や面接権を子どもの権利として主張して、共同親権の法制化や面接権の明文化を目指して活動している団体。問題意識をもった親の意見を掲示板を通して知ることができるから自分の問題と照らしあわせて参考に。● http://www.fatherswebsite.com/

Heart Junction

恋愛に迷ったり悩んだらプロに相談しよう

恋愛カウンセラー・作家として有名な安藤房子さんの運営するサイト。シングルマザーもシングルファーザーも前向きに恋をしよう。そして迷ったり悩んだらプロに相談。恋愛のプロが力になってくれます。

● http://www.heart-junction.com/

ＦＰラウンジ

お金の悩みは、ＦＰに相談して計画的に考えよう

Ｐ54からＰ59の家計簿ページでアドバイスしてくれた、ＦＰの豊田眞弓さんのウェブサイト。対面、電話、スカイプで相談が可能です。シングルマザーとしてのご自身の経験をふまえ、家計や将来設計について相談にのってもらえます。

● http://happy-fp.com/

ＤＮＡ親子鑑定

認知問題など、親子関係の円満な問題解決のためのＤＮＡ鑑定

未婚出産での子どもの認知問題、実の父親であることを証明しなければならないときに必要になるのがＤＮＡ鑑定。民間のサービスが何社かありますが、ここでは低料金で相談にも丁寧に回答してくれる一社を。

● ソリューション株式会社
http://www.solution-inc.co.jp/

池内ひろ美オフィシャルサイト

どこで何を相談すればいいの？といった混乱も優しくコンサルティング

家族問題コメンテーターとして有名な池内ひろ美さんの運営するサイト。相談を聞いたうえで、さまざまな専門家とのネットワークにつないでくれるので、いま、自分に何が必要なのかわからないとき、整理したいときにおすすめ。● http://ikeuchi.com/

ＳＡＪ
Stepfamily Association of JAPAN

再婚を考えたらステップファミリーの情報にアクセス

離婚が増えている現在、ステップファミリー（子連れ再婚家族・継家族）も増えています。ＳＡＪは、ステップファミリーと、家族に関わる職業に従事する人のために情報や支援を提供する非営利団体です。

● http://www.saj-stepfamily.org/renew/

先輩
シングルマザーに
聞きました

これから ひとり親になる 人にアドバイスを

●住まいは小児科が近いところがいいと思います。最低限の交通費しか、かからなくてすむところ。防犯上、まわりに生活のリズムを知られない、もしくは知られても大丈夫な治安のいい場所を選ぶと、毎日のストレスが軽減します。かならずなんでも話せる人をつくり、ぜったいに孤独にならないこと。

●母子家庭支援制度は自分から聞くべし、調べるべし。

●何はなくともパソコンと常時接続環境を。スマホよりずっと、よい情報を見つけやすいです。情報は力です。

●小さい子どもがいる方は、使える制度はフル活用されたほうがよいです。

●可能であれば、それまで住んでいたところから引っ越さないこと。情報収集は大切。どんな支援があるか、自分が具合の悪いときに助けてもらえる人か支援があるか、確認。

●シングルマザーの実体験のブログが参考になります。

●なんでもひとりで抱えこまずに、甘えられるところはまわりに甘えていい。

●何か資格をとってから離婚を考えたほうが生活に困りません。

●住まいを借りるのがいちばん大変でした。できれば、離婚前にリサーチして借りておけるといいと思います。

●シングルマザーのネットワークは、あまり必要ありませんでした。夫婦そろった家族と積極的に交流することが、子どもにとって自然でした。

●子どもの気持ちを考えることが大切ですが、うちは生まれたときから別居でパパがいなかったので、離婚による喪失感がなく、シングル家庭はひとつの家族のかたちと子どもが認識して、寂しさなどは感じなかったように思います。多感な時期に引き離されたようなケースでは当てはまらないかもしれませんが。

●相談できる、助けあえる仲間や友人がいるといいかな。

●悩んでいることをできるだけ多くの人に話す。

●市の広報誌は意外に使えるので、要チェックです。教えてくれないので、調べて気になることは問い合わせるとよいと思います。

●ひとりでがんばらない。行き詰まるまえに、相談窓口に足を運んでください。

●児童相談所は、敷居が高いと思われがちですが、ひとり親にとっては、大切な相談窓口です。

●離婚の時期がたまたま保育園の入園申し込み締め切り後の1月で、「9月に中途で入れるかも。場合によってはつぎの年の入園になる」と説明を受け、とりあえず手続きだけしたところ、役所の方が動いてくださり、その年の4月から入園することができました。あきらめずに役所に相談してみてください。保育園が決まらないことには働きにいけないので、役所と受け入れてくれた保育園には本当に感謝しています。私の場合は保育費も無料で、生活が安定するまでのまさに命綱です。

●何かあったときに、手助けしてもらえる人をあらかじめ確保しておくこと。

●公的な支援を受けられることがたくさんあるので、ぜひ情報を集めてほしい。

●働かなければならず、子どもとの時間がなかなかとれないため、子どもが寂しい思いをします。会えないぶん、いっぱいお話を聞いて甘えさせてあげてください。

●ひとり親になった時点で、はずかしがらずにすぐに区役所関係に相談することをおすすめします！　役所をもっと信じて利用してほしい。

●頼れる人、施設、制度には思いっきり頼ってほしい。

●パートや正社員など、どんな働き方でも共通することだけど、職業によっては将来的に人がいらなくなるものもあることを知っておいてほしい。

●働けば支援が減り、さらに税金が増え、がんばってもがんばっても貧困のループです。社会保障制度で利用できるものはしっかり調べて、最大限に活用してほしい。日本の社会は、とくに社会福祉関係は、向こうから教えてくれないから、自分で調べて利用していかないといけない。日本の社会では、社会的弱者は無知で受け身では損するようなしくみになっている。そうならないように注意してください。

●体調不良のときの助けを求める先を見つける。または、体調不良のときにつくれる料理などを考えておく。

●相談できる場所や、どう生活していくかを頭に入れて、冷静に行動してください。進む方向が決まってくると、がんばれます！

●身近にサポートしてくれる人（実家、きょうだい、ママ友、職場友）をたくさんつくって、感謝しながら頼ってください。ひとりでがんばりすぎないように……。

●離婚前に貯金をしておけばよかったと思ったので、心がけてください。

●夫婦仲がよくないと子どもが不安定になるので、思いきって離婚することをおすすめします。思ったより世間はひとり親に冷たくないです。

●仕事と両立するうえで、母子家庭のための資格取得支援金、母子寡婦福祉連合会の支援事業が、かなり活用できたこと。

●児童扶養手当がなくなるときの生活への影響は思っているより大きいです。下の子が18歳になるまえに、かならず何かしら対策をしておいたほうがよい。

●離婚しない方法も見いだすべき。

●大丈夫。けっこういますよ、シングル！

●私立高校進学を経済的理由であきらめることはありません。私学支援補助があるので、なんとかなります。子どもが学びたい場所に進学させてあげてください。

●とにかく相談する。ひとりで決めない。ひとり親だからこそ、ひとりで育てようと思わないこと。

●養育費をあてにしちゃダメ。ずっと払いつづける人は少ないから。

養育費の算定表

年収と子どもの人数・年齢ごとに
養育費の標準的な金額がわかります

縦軸が、養育費を払う親（義務者）の年収で、横軸は子を引きとって育てている親（権利者）の年収を給与所得者については25万円刻みで示しています。収入はいずれも給与所得者については総収入（源泉徴収票の支払い金額）を指します。

表は、子どもの人数と年齢によって分けられていて、母親が子どもを引きとり育てる場合には横軸が「母親」になり、縦軸で「父親」の年収額を探します。そこから上に線を延ばして２つの線が交差する升目の金額が、父親側が負担すべき養育費の月額金額となります。

（養育費算定表は、東京・大阪の家庭裁判所ホームページから転載）

養育費・子1人表（子が0〜14歳）

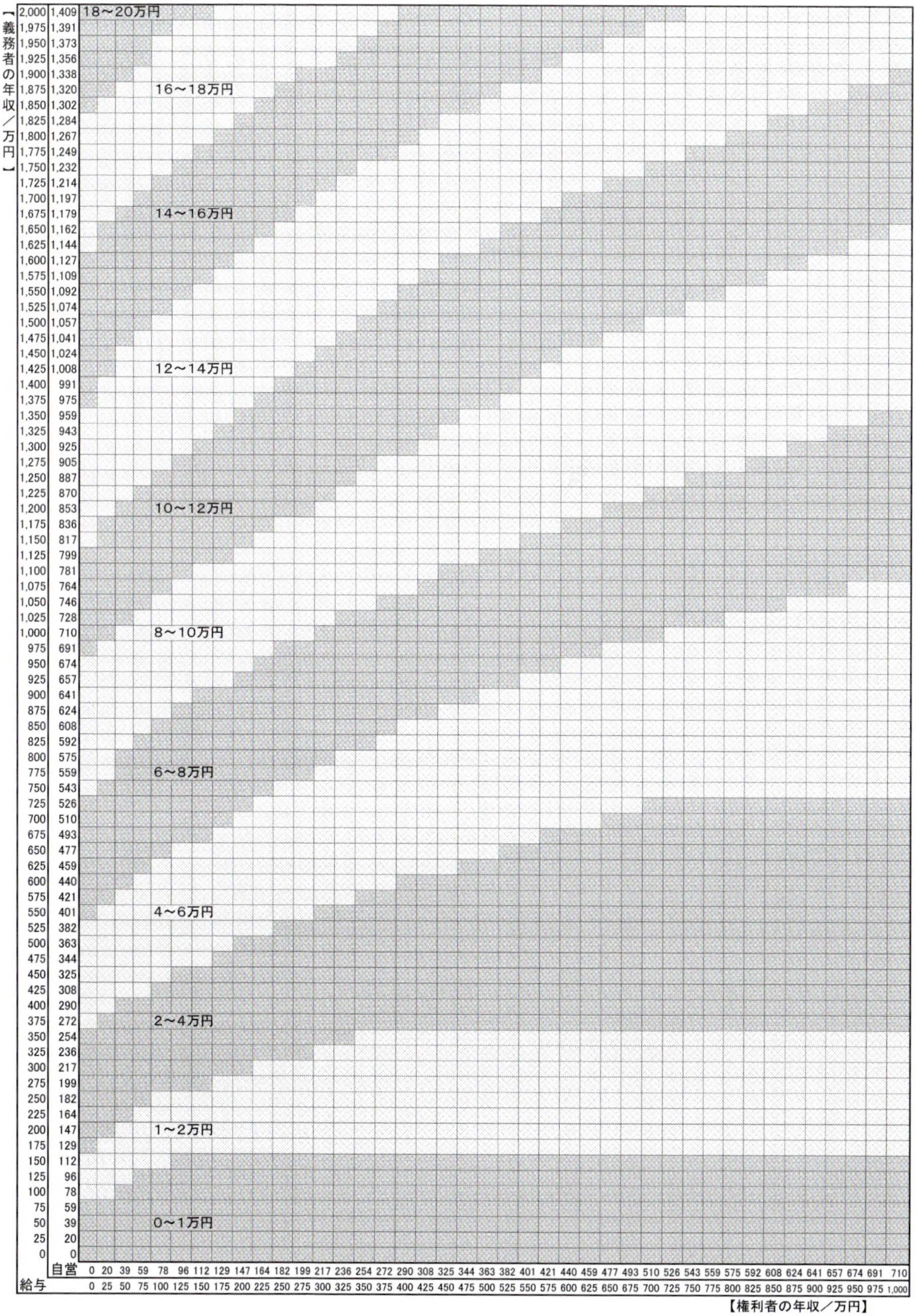
【義務者の年収／万円】
2,000 1,409
1,975 1,391
1,950 1,373
1,925 1,356
1,900 1,338
1,875 1,320
1,850 1,302
1,825 1,284
1,800 1,267
1,775 1,249
1,750 1,232
1,725 1,214
1,700 1,197
1,675 1,179
1,650 1,162
1,625 1,144
1,600 1,127
1,575 1,109
1,550 1,092
1,525 1,074
1,500 1,057
1,475 1,041
1,450 1,024
1,425 1,008
1,400 991
1,375 975
1,350 959
1,325 943
1,300 925
1,275 905
1,250 887
1,225 870
1,200 853
1,175 836
1,150 817
1,125 799
1,100 781
1,075 764
1,050 746
1,025 728
1,000 710
975 691
950 674
925 657
900 641
875 624
850 608
825 592
800 575
775 559
750 543
725 526
700 510
675 493
650 477
625 459
600 440
575 421
550 401
525 382
500 363
475 344
450 325
425 308
400 290
375 272
350 254
325 236
300 217
275 199
250 182
225 164
200 147
175 129
150 112
125 96
100 78
75 59
50 39
25 20
0 0
18〜20万円
16〜18万円
14〜16万円
12〜14万円
10〜12万円
8〜10万円
6〜8万円
4〜6万円
2〜4万円
1〜2万円
0〜1万円
自営 0 20 39 59 78 96 112 129 147 164 182 199 217 236 254 272 290 308 325 344 363 382 401 421 440 459 477 493 510 526 543 559 575 592 608 624 641 657 674 691 710
給与 0 25 50 75 100 125 150 175 200 225 250 275 300 325 350 375 400 425 450 475 500 525 550 575 600 625 650 675 700 725 750 775 800 825 850 875 900 925 950 975 1,000
【権利者の年収／万円】

養育費・子1人表（子が15～19歳）

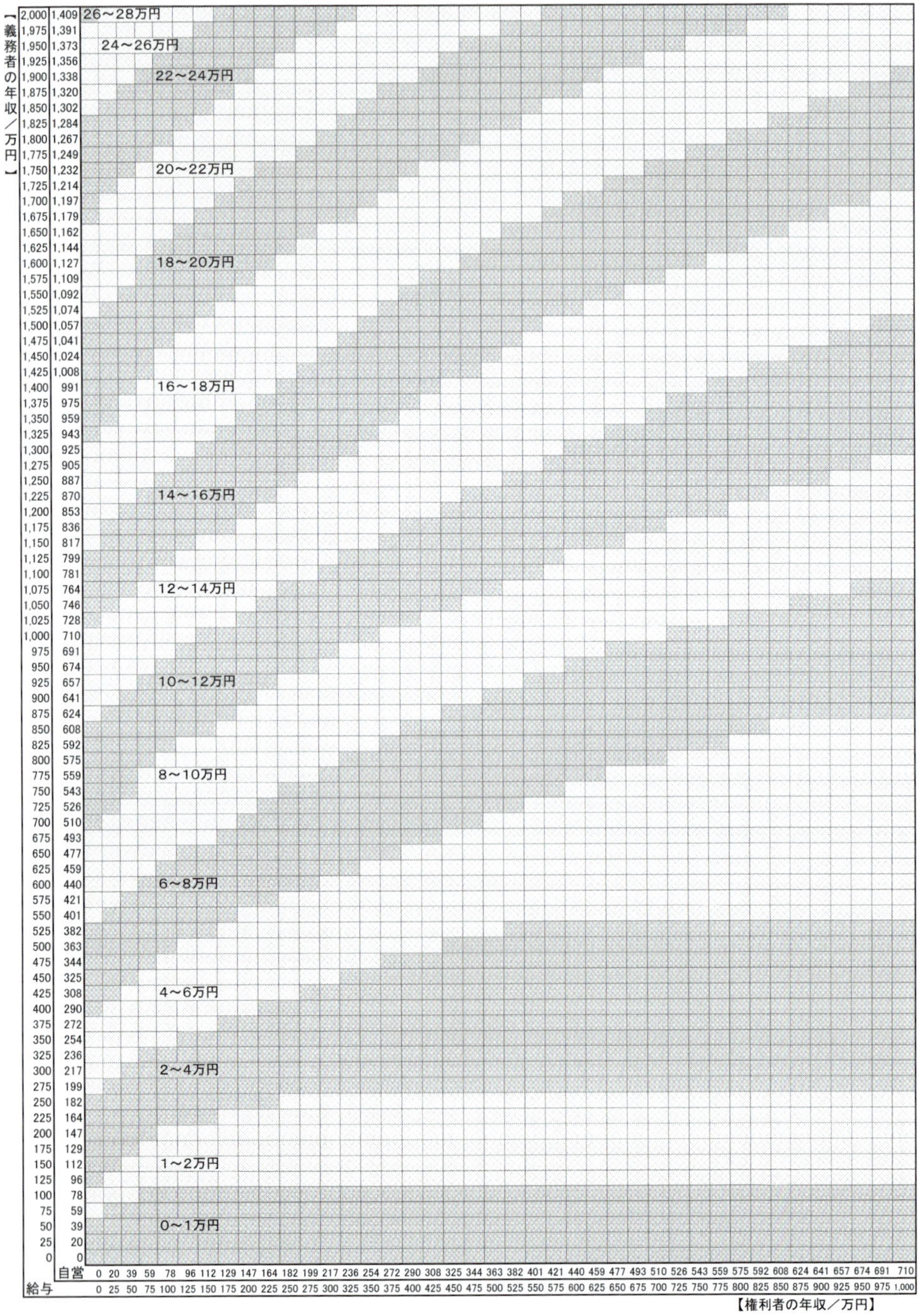

養育費・子2人表（第1子・第2子ともに0～14歳）

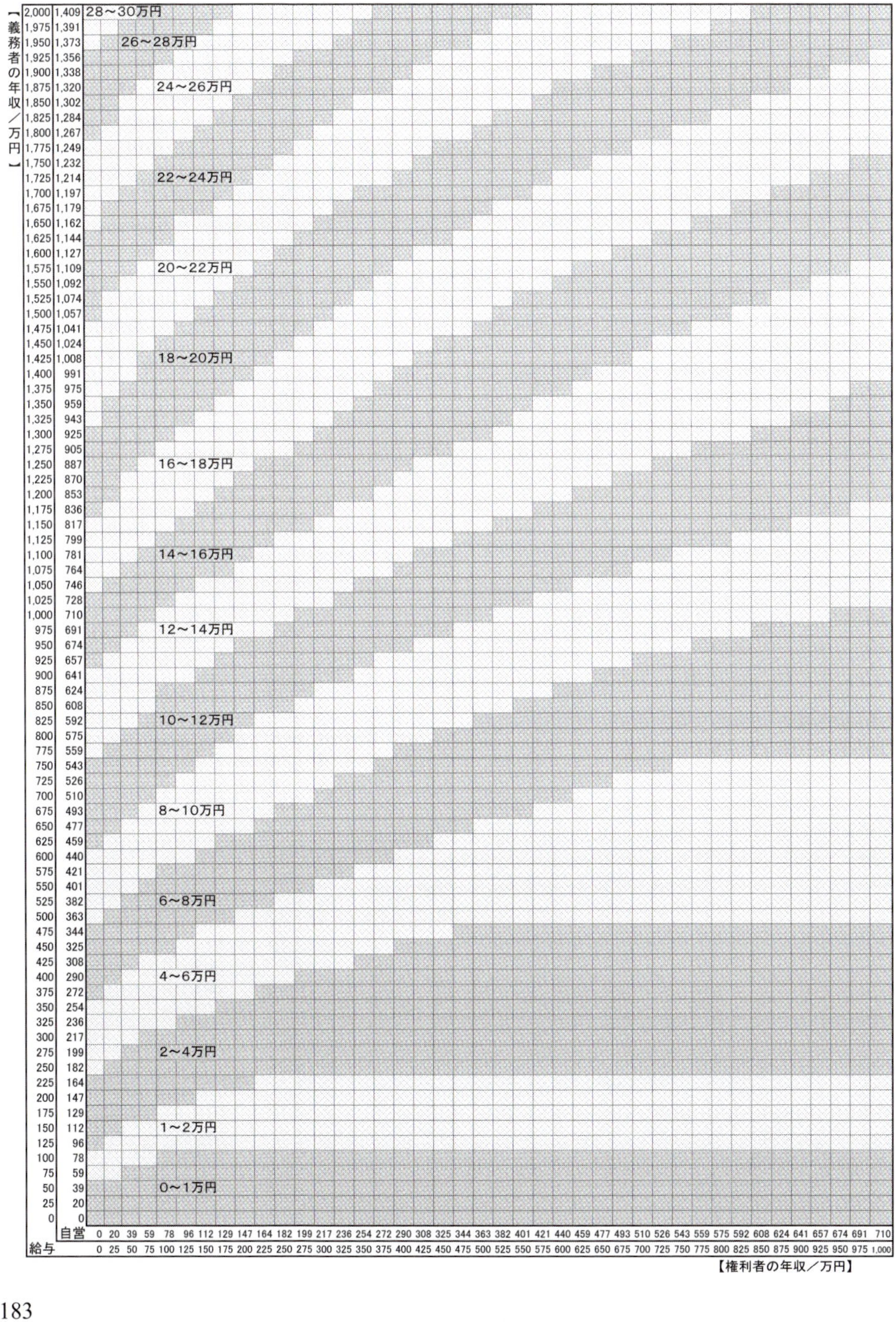

養育費・子2人表（第1子が15～19歳、第2子が0～14歳）

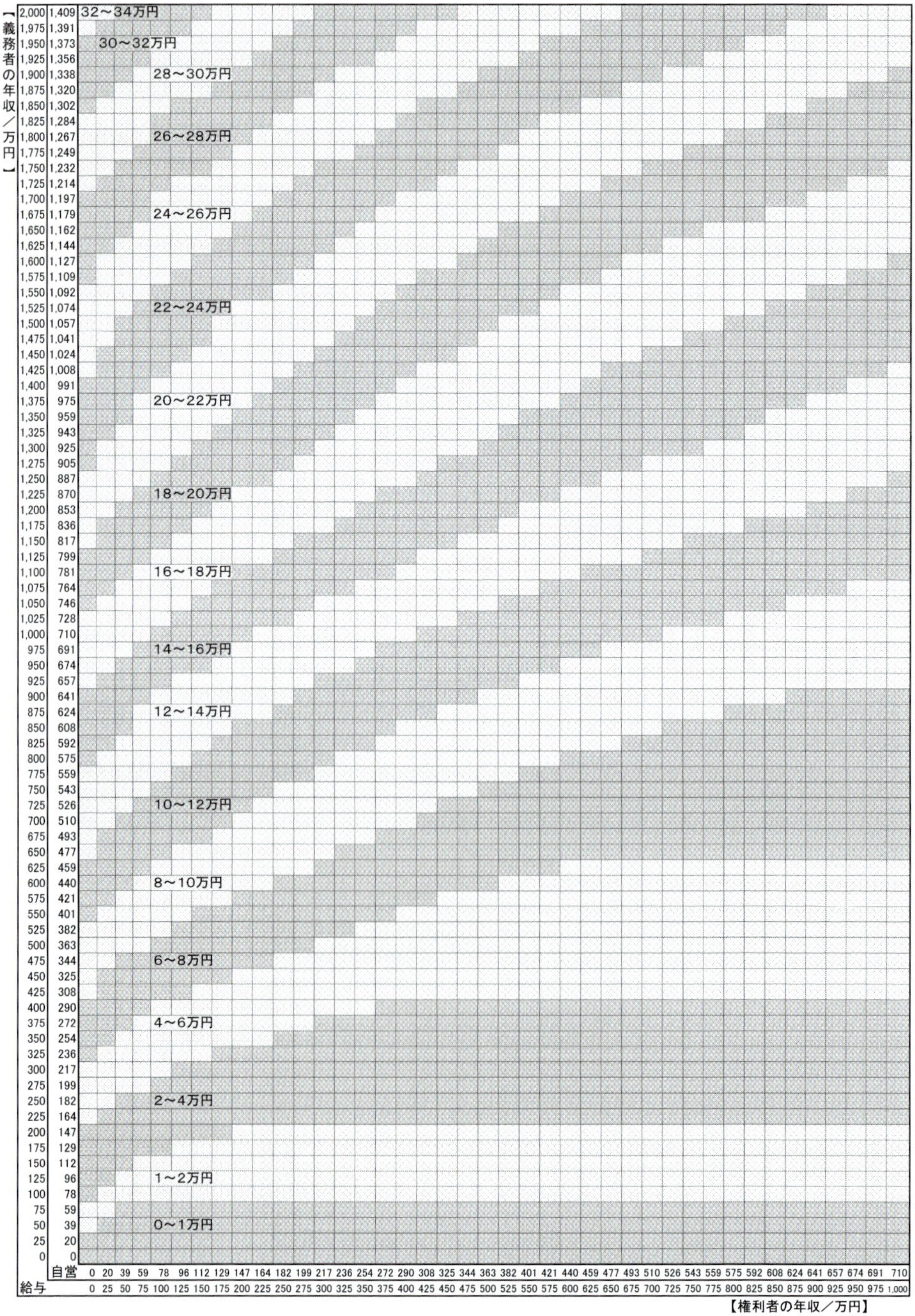

養育費・子2人表（第1子・第2子ともに15～19歳）

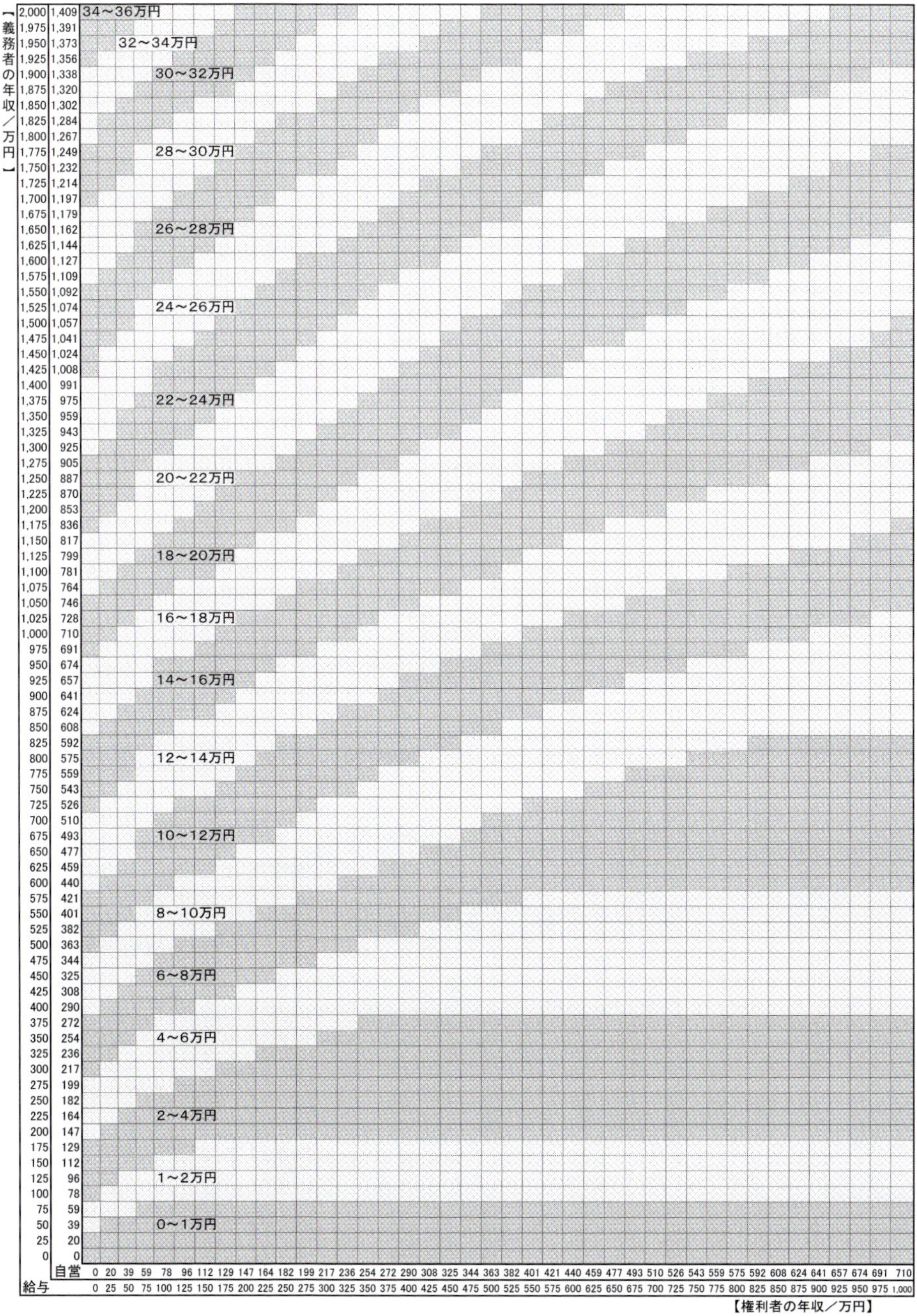

養育費・子3人表（第1子・第2子・第3子いずれも0～14歳）

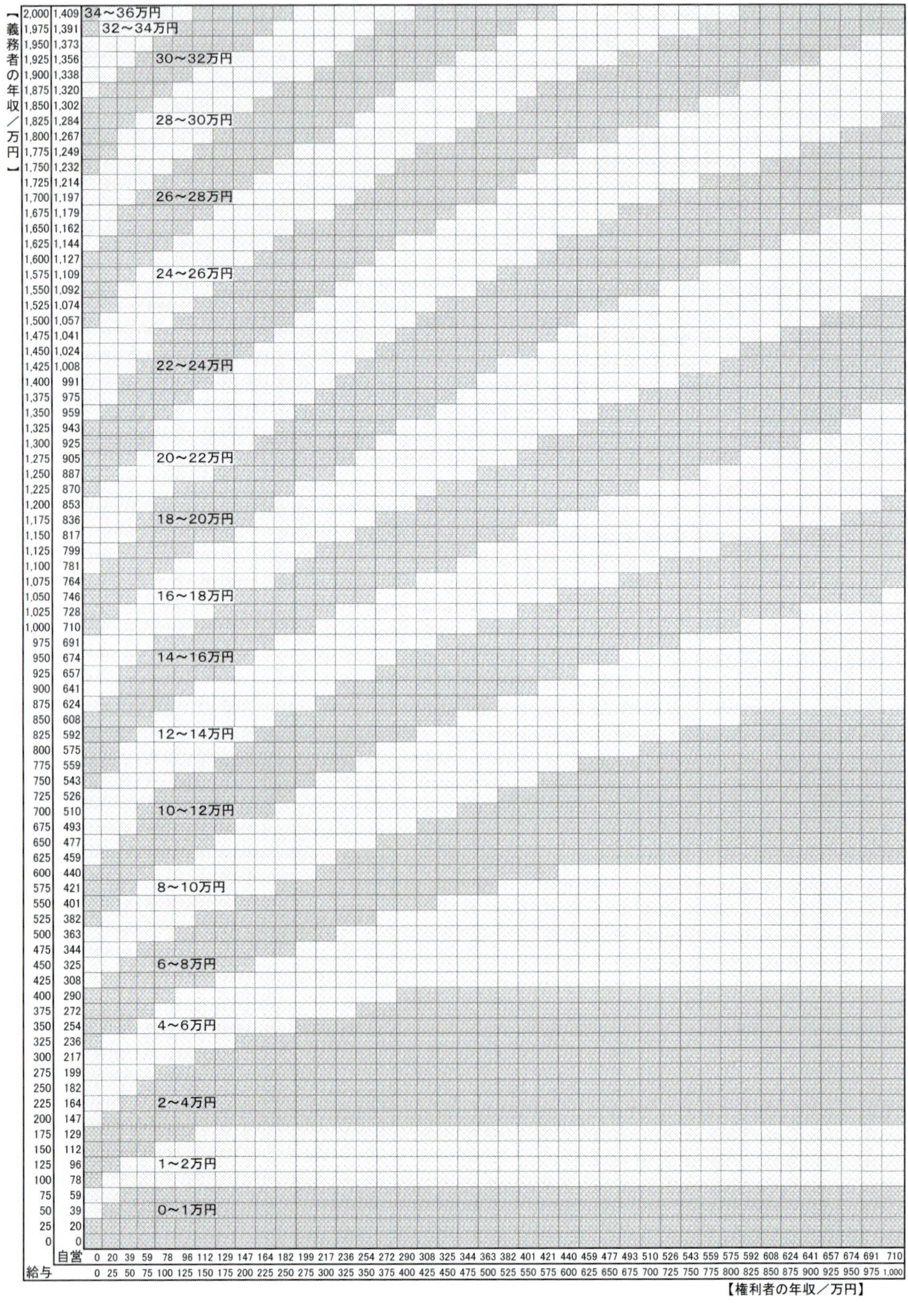

養育費・子3人表（第1子が15～19歳、第2子と第3子が0～14歳）

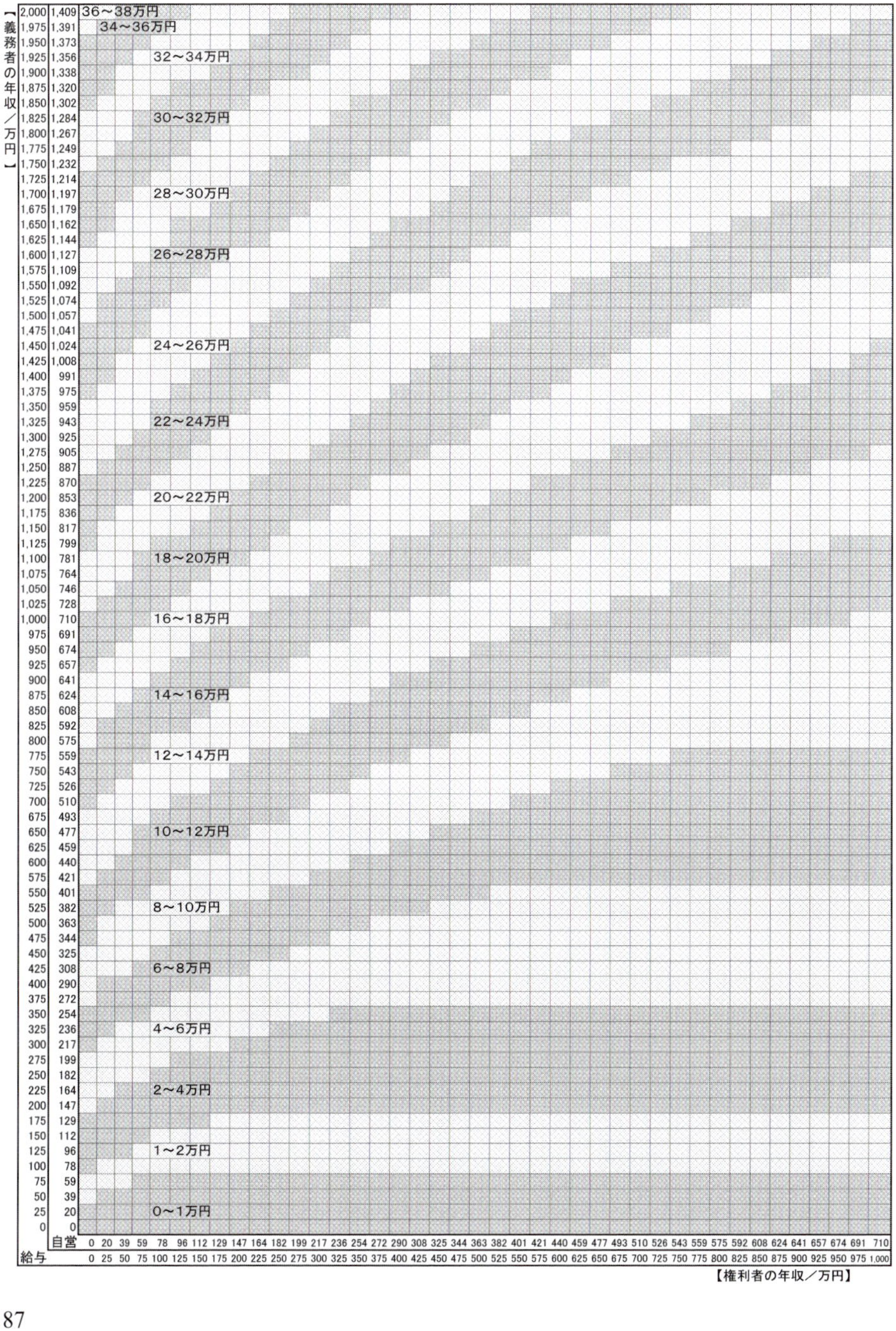

養育費・子3人表（第1子と第2子が15〜19歳、第3子が0〜14歳）

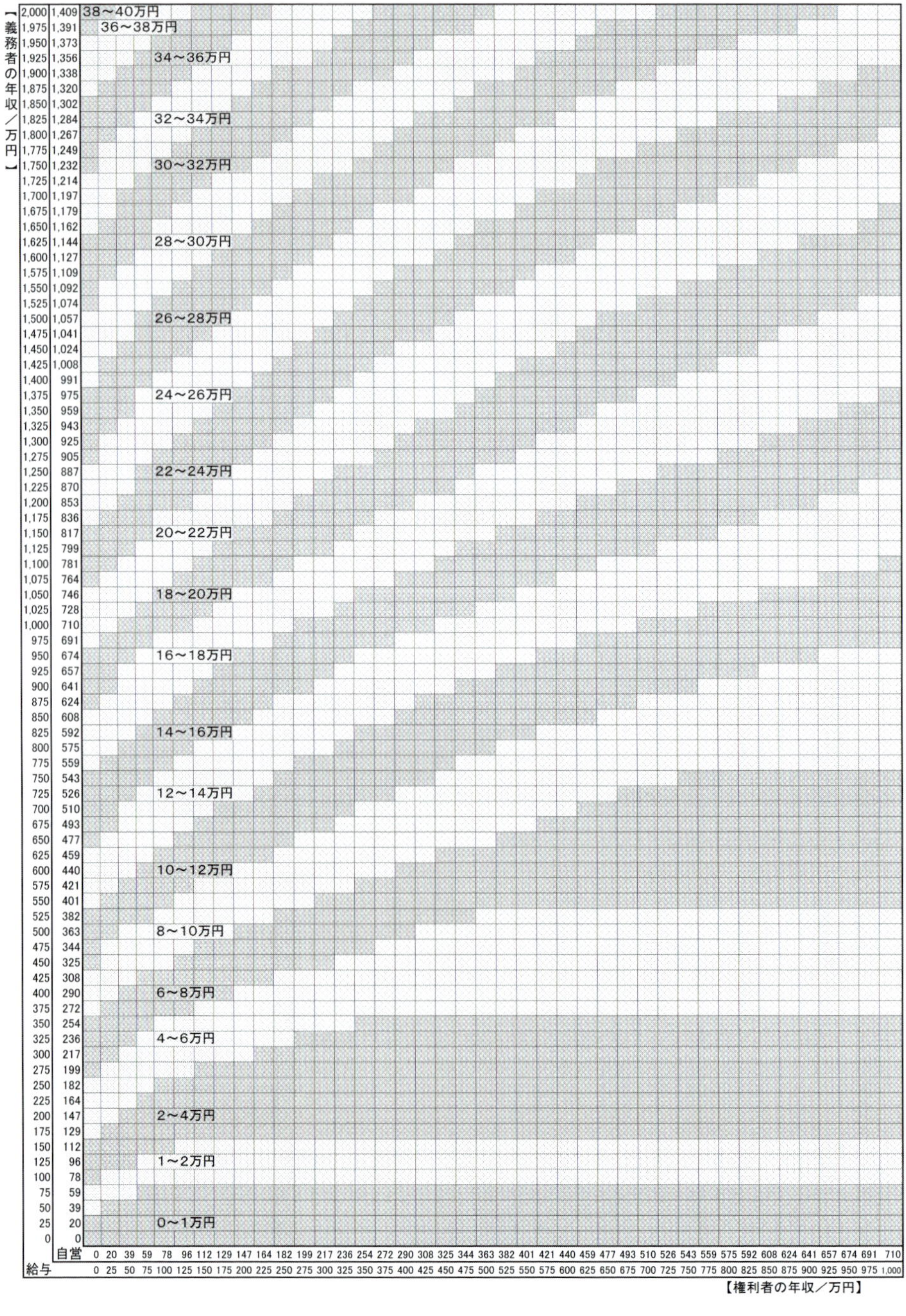

養育費・子3人表（第1子・第2子・第3子のいずれも15～19歳）

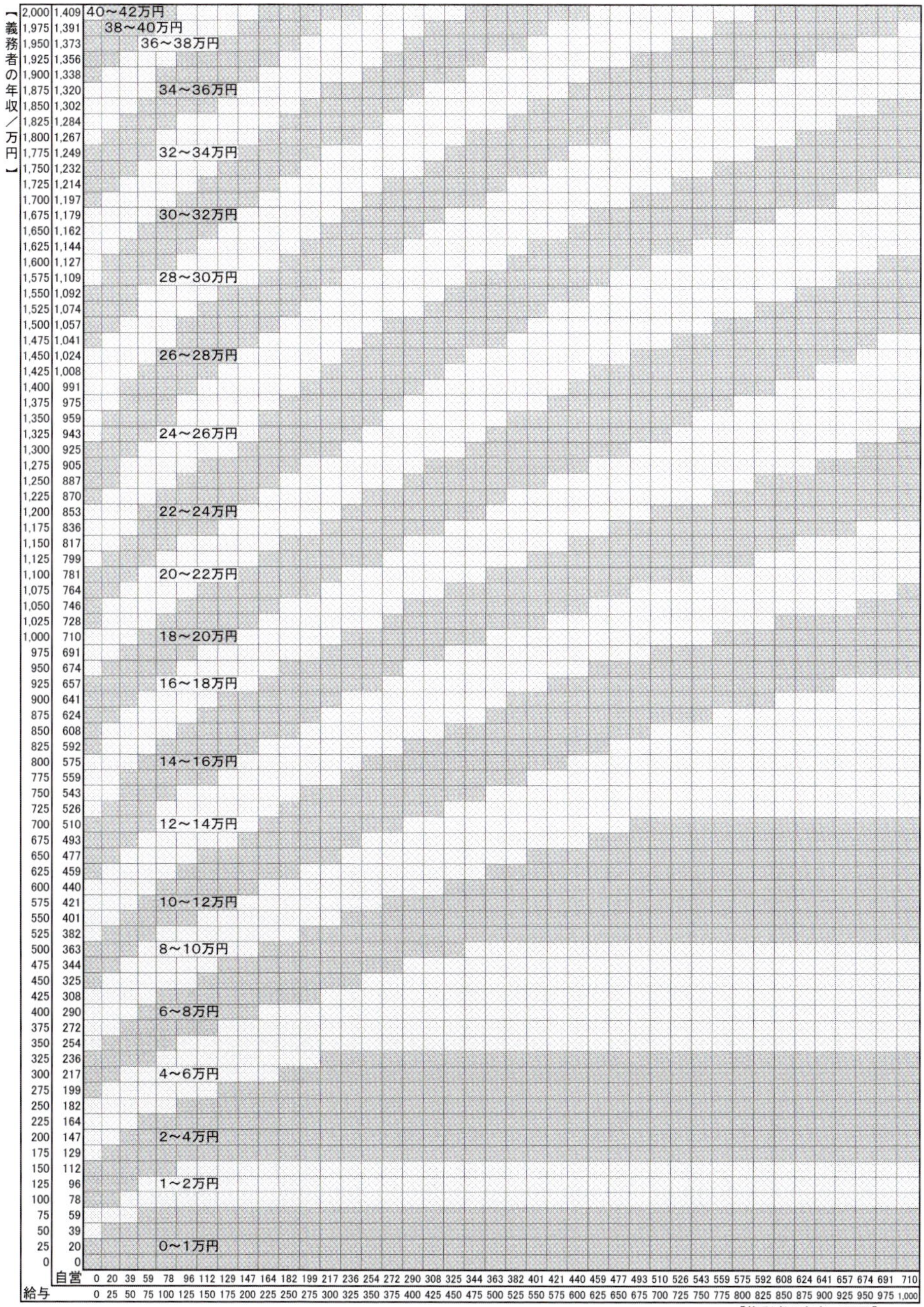

本書の執筆を終えて

いつまでも長く、たくさんのシングルマザーを支える1冊でありますように

本書の価値を認めていただき、現在の版元より改訂版として発行されたのが2010年のこと。それから7年、さらに改訂を重ね、多くのみなさまにご愛読いただいています。

この間、国のひとり親家庭に向けたさまざまな支援や子育て支援も改定されています。それにともない、本書も古いデーターの見直しをおこない、最新の支援情報を掲載しました。

わが子が二十歳を迎え成人したいま、私は当事者ではなく経験者として、支援する側の立場でしっかりと情報をお届けしたいと、自分の使命を再確認しました。これからも本書を更新し、多くのシングルマザーのお役に立てる1冊にしていきたいと思っています。

いつもご協力いただいている共著の田中さん、太郎次郎エディタスのみなさんに感謝。ひき続きよろしくお願いします。

新川てるえ

多くのシングルマザーの声を参考にして新しい人生を力強く踏みだしてください

絶版の危機から復刊をした本書も、今回で6回目の版を重ねることになりました。長いあいだ、ひとり親の方たちに必要とされていることをうれしく思います。加筆・訂正をしながら、本を読みなおしていつも思うのは、この本は子どもとともに前向きにたくましく生きる、多くのシングルマザーの方々の協力のもとに成立した本だということです。

取材にご協力いただいたシングルマザーのみなさんに、ここでもう一度お礼申し上げます。

子どもをひとりで育てるのは、しんどいものです。政府の子育て支援施策が十分とはいえない現在、不安も多いと思います。でも大変なぶん、喜びや充実感もたくさん味わえます。そして子育てをするなかで、たくさんの人たちに支えられて生きている幸せもより実感できると思います。勇気を出して新しい人生を踏みだそうとしている女性たちにとって、この本が少しでも力になることを願っています。

田中涼子

著者プロフィール

新川てるえ（しんかわ・てるえ）
NPO法人M-STEP理事長／家庭問題カウンセラー

1964年生まれ、千葉県柏市出身。10代でアイドルグループのメンバーとして芸能界にデビュー。その後、2度目の離婚の折にシングルマザーを支援するNPO法人Winkを設立。2014年、シングルマザーとステップファミリーを支援するNPO法人M-STEPを新たに設立。3度の離婚経験を生かして、作家、シングルマザー・コメンテーター、家庭問題カウンセラーとして活躍中。著書多数、代表作に『子連れ離婚を考えたときに読む本』（日本実業出版社）がある。

田中涼子（たなか・りょうこ）
フリーランス編集&ライター

1960年、山梨県生まれ。早稲田大学卒業後、出版社に勤務。その後フリーランスに。これまで、おもに食と旅、子どもの教育や健康に関する記事を手がける。離婚をテーマとした著書としては、本書のほかに『女性のための離婚のマネー学』（主婦の友社）がある。また、企画・構成をした本に佐々木正美著『ひとり親でも子どもは健全に育ちます――シングルのための幸せ子育てアドバイス』（小学館）がある。

シングルマザー生活便利帳　六訂版

2006年４月29日　初版発行（山海堂）
2010年３月25日　改訂版発行
2017年11月20日　六訂版発行

著者――――新川てるえ・田中涼子
装幀――――レゾン グラフィック スタジオ
発行所―――株式会社太郎次郎社エディタス
東京都文京区本郷3-4-3-8Ｆ　郵便番号113-0033
電話 03-3815-0605
http://www.tarojiro.co.jp/
電子メール tarojiro@tarojiro.co.jp
印刷・製本――シナノ書籍印刷
定価――――カバーに表示してあります
ISBN978-4-8118-0825-3　C2077

この本は、『できる！　シングルマザー生活便利帳』（山海堂・2006）をもとに情報を更新、加筆し、新しく出版したものです。

子連れ再婚を考えたときに読む本

新川てるえ 著

生活習慣の違い、連れ子と再婚相手との関係、周囲に再婚家庭だと告げるコツなど、経験者100人が悩んだことをもとに、その対処法とアドバイスを満載。子どもの姓や親権の変更、養子縁組、夫婦の財産問題など、子連れ再婚にかかわる手続きのすべてをサポートします。●四六判・1600円

会えないパパに聞きたいこと

新川てるえ 文 ／山本久美子 絵

「ママとパパ、どうして別れたの？」——それが一番聞いてみたいこと。一人でがんばるママ、離れて暮らすパパへ伝えたいメッセージ。ひとり親家庭の子どもが、さまざまな葛藤を乗り越え大人になっていくプロセスを、羊たちの童話的世界のなかに描きだす絵本。●B5変型判・1500円

ココ、きみのせいじゃない

はなれてくらすことになる ママとパパと子どものための絵本

ヴィッキー・ランスキー 著 ／ジェーン・プリンス 絵
中川雅子 訳

離婚を子どもにどう告げる？　離れて暮らす親と子の関わり方は？　子どもの感情をどう受けとめる？——「夫婦の別れを親子の別れにしないために」、親と子が離婚という転機を乗り越えるのをサポートする絵本。●AB判・1300円

離婚後の親子たち

氷室かんな 著

夫婦はやめても、親はやめない。——そうはいっても離婚後の親子関係、みんなどうしているのか。別れた相手と協力なんてできるのか。子どもは本当はどう思っているのか。9家族の〈元夫〉と〈元妻〉と〈子どもたち〉に取材した、葛藤と希望と本音。新たな離婚後のかたちを求めて。●四六判・1800円